KB077191

2030 대한민국 예정된 권력

발 행 | 2024.07.07
저 자 | 최영환
펴낸이 | 한건희
펴낸곳 | 주식회사 부크크
출판사등록 | 2014.07.15(제2014-16호)
주 소 | 서울 금천구 가산디지털1로 119, A동 305호
전 화 | 1670-8316
이메일 | info@bookk.co.kr
ISBN | 979-11-410-9273-3
www.bookk.co.kr

2030 대한민국 예정된 권력

최영환 지음

목 차

<2030 대한민국>

뉴스 리포터: "여기는 국회의사당 앞입니다. 또다시 국회의원들의 비리 사건이 각종 SNS와 포털을 통해 배포되었습니다. 이에 분노한 수천 명의 시민이 국회의사당 앞에서 시위를 벌이고 있으며, 경찰과의 충돌이 이어지고 있습니다."

시위대: (플래카드를 들고) "부정부패 타도하라! 정의를 세워라!"

경찰: "시위대를 해산하라! 불법 집회는 즉시 중단하라!"

뉴스 리포터: "정부는 여전히 시민들의 목소리를 무시하고 있습니다. 몇몇 단체들은 현재의 삼권분립 체제가 무너지고, 입법부의 장악과 독주로 무능한 행정부와 사법부를 용인할 수 없다며, 고성을 지르고 있습니다."

AG 텔레콤 본사 고층빌딩, 야경 속에서 빌딩의 로고가 빛난다. 한성준은 시위 중인 창밖을 바라보며 서 있다.

한성준: "대한민국이 아주 생난리구먼. 도대체 이 나라는 어디로 가고 있는 건지."

비서 이준호가 급하게 문을 두드리고 들어온다.

비서 이준호: 부회장님, 큰일입니다. 회장님께서 성진 병원에서 위태롭다고 연락이 왔습니다. 서둘러 가보셔야 할 것 같습니다.

한성준은 놀란 표정으로 고개를 돌리고 즉시 재킷을 집어 들고 나선다. 비서진들의 호위 속에서 병원의 긴 복도를 지나 병실에 도착한다. 중환자실에는 회장 한동욱이 누워있고, 의사들과 가족들이 그를 둘러싸고 있다.

한동욱 회장: (희미한 목소리로) 성준아…. 가까이 오너라.

한성준 부회장이 침대 옆으로 다가간다. 한동욱 회장은 아들의 손을 꼭 쥔다.

한동욱 회장: 이 나라. 이미 기우는 나라이니, AG 텔레콤이 새로운 방향으로 나가야 한다. 세상에는 불변의 법칙이 있어…. 이제는 선택해야 할 때다.

"위기 속에…. 기회가 숨어 있다…."

한성준의 눈에 눈물이 고인다. 한동욱 회장은 조용히 눈을 감고, 병실은 고요해진다.

각 정계 인사들이 시위대를 뚫어내고 화려한 장례식에 참석했다. 한성준은 검은 정장을 입고 조문객을 맞으며, 임종 전 아버지의 말이 머릿속에서 떠나지 않는다.

한성준: '위기 속에 기회가 숨어 있다…. 아버지는 무슨 뜻으로 그런 말을 하셨을까….'

한성준은 조용히 주위를 둘러보았다. 정치인들은 서로의 권력을 과시하듯 보좌관들은 뒤로 삼각편대를 이루어 줄지었다. 이곳에서도 안하무인처럼 여전히 무례했다. 그들은 한성준 부회장에게 가식적인 위로의 말을 전하며, 어깨를 툭툭 치거나 얕은 미소를 지어 보였다. 한성준은 애써 예의를 지키며 고개를 숙였지만, 눈빛에는 조용한 분노가 싹을 틔웠다.

국회의원: "부회장님, 큰일 치르느라 수고가 많으십니다. 허허."

국회의원 2: "오늘은 이런 자리에서 봬서 안타깝군요. 선대인은 현명하신 분이었죠."

한성준: "아 네 김 의원님 오셨습니까?" '내가 너희한테 건네준 돈이 얼마인데. 나 없으면 너희가 그렇게 권력을 쥘 수 있었는지 알아?'

억울함과 분노를 삭이며 조용히 말을 이었다.

한성준: (속으로) "대가리에 똥만 찬 새끼들이라니…."

한성준은 한숨을 깊게 내쉬며 고개를 들었다. 그들은 국민의 눈치는 아랑곳하지 않고 무소불위 자기들만의 권력을 드러냈고, 한성준은 애써 웃음을 지었다.

대한민국의 역사에 한 획을 그었던 아버지의 장례식이 끝나고, 한성준은 혼자 조용히 생각에 잠긴다.

한성준: '나는 이 기회를 잡아 최고 권력자가 되겠어.'

어두운 방, 여러 대의 컴퓨터가 깜빡이며 작동 중이다. 김유진은 화면을 보며 빠르게 키보드를 놀리고 있다. 주위에 커피 컵과 간식 봉지가 여기저기 흩어져 산만하다. 책상 위에는 다양한 해킹 서적과 코드가 적힌 메모가 뒤섞여 있다.

김유진: (혼잣말로) "재밌어지네. 부패한 정부와 대기업의 실체를 들춰내니, 사람들이 들끓고 있어. 마치 물 만난 고기 같군."

그녀는 컴퓨터 화면에 뜬 정부 기밀 자료를 훑어보며 미소를 짓는다. 헤드폰을 벗고 한숨을 쉬며 일어선다. 곳곳에 널린 브래지어와 팬티 사이로 까치발을 들고 요리조리 피하며 창문에 기댄다. 창문틀에는 먼지가 쌓여 있다.

"딩딩딩~" "딩딩딩~" 화면에 "이준호"라는 이름이 뜬다. 김유진은 잠시 주저하다가 전화를 받는다.

김유진: (힘없는 목소리로) "여보세요?"

이준호: (전화 너머) "유진아, 나야. 오랜만이네. 어떻게 지내고 있어?"

김유진: (약간 피곤한 목소리로) "준호 선배. 뭐, 늘 그렇죠. 여기저기 들쑤시고 다니느라 바빠요."

이준호: "얼굴 좀 볼 수 있을까? 중요하게 할 얘기가 있어."

김유진: "얼굴을? (잠시 망설이다가) 어……. 좋아요. 어차피 잠깐 숨 돌릴 시간도 필요하고."

이준호: "좋아. 그럼 이따가 거기서 보자."

김유진은 손을 뻗어 근처에 놓인 냉커피를 마시고 다시 자리에 앉아 키보드를 두드린다. 창문 밖의 세상과는 다른, 조그마한 10평짜리 원룸에서 그녀만의 작은 세계가 펼쳐지고 있다.

제1화 카오스

2030년의 따사로운 봄. 서울의 노란 가로등 불빛이 비치는 한 골목길. 거리를 거니는 시민들의 얼굴에서 절망감이 드러났다. 모퉁이 카페 테라스에서 엉덩이만 반쯤 걸치고 앉아 애꿎은 일회용 컵을 꾸기는 소리와 함께 청년들의 대화가 들려온다.

청년 1: (주먹을 쥐며) "정치인들, 썩어빠진 것들. 좌파든 우파든 전부 자기 이익만 챙기고 있어. 우리 같은 사람들은 신경도 안 써."

청년 2: "맞아. 저출산 문제를 해결하겠다는 정책도 다 보여주기식일 뿐이야. 2030과 미래를 위한 진짜 정책은 없잖아. 그들이 진짜로 신경 쓰는 건 우리 같은 사람들 아니잖아."

청년 3: "남녀 갈등에, 세대 갈등에. 경제 파탄도 결국 정부와 국회의원들 때문에 생긴 거라고. 양당이 하는 짓거리는 견제가 아니야. 그들끼리 치고받고 싸우느라 우리 삶은 갈수록 더 피폐해졌어. 진짜 꼴도 보기 싫어. 나라를 완전히 반으로 쪼개놨어."

청년 1: "행정부, 입법부, 사법부 전부 다 장악하고 자기들끼리 해처먹기 바쁜 놈들. 이젠 국민이 직접 나서야 할 때야. 참을 수가 없어."

뉴스 스튜디오. 아나운서가 심각한 표정으로 뉴스를 전하고 있다. 뒤에는 국회의원들과 고위 관료들의 얼굴이 나열된 사진이 뜬다. 텔레비전과 스마트폰 강남 거리의 전광판에서 뉴스가 흘러나오고 있다.

아나운서: "속보입니다. 국회의원들과 고위 공무원, 판사, 검사, 장·차관까지 성 접대와 비자금 등의 부정부패에 연루된 사실이 오늘도 폭로되었습니다. 그동안 국민을 위하는 척하며 일했던 그들의 민낯이 낱낱이 드러나고 있습니다. 국민의 신뢰를 잃은 정부와 사법부, 입법부는 큰 혼란에 빠졌습니다."

텅 빈 놀이터와 폐쇄된 학교들이 즐비하다. 아이들의 울음소리가 사라진 대한민국의 적막함 속에, 거리에는 하나둘 불만으로 일그러진 표정의 시민들이 속속 모여들고 있다. 신문 가판대에는 대문짝만하게 "국회의원 부정부패 폭로!"라는 제목이 붙어 있다. 사람들은 대화를 나누며 이번 사태에 대해 격렬하게 의견을 주고받는다.

"나는 언론도 믿을 수 없어. 기자들도 편을 갈라 나뉘고, 정치인들 똥꼬빨기에 지나지 않아." 한 중년 남성이 이를 악물며 말했다.

"진짜 진실을 말하는 기자는 없는 거야? 다 자기들 입맛에 맞게 진실을 왜곡하고 있어. 도대체 누구를 믿어야 하냐고!" 한 여성이 울분을 터뜨렸다.

"그럴 바엔 차라리 누군가 총대 메고 국회와 정부, 방송국까지 깨끗이 청소해버리면 좋겠어. 대한민국을 바로 잡아줄 사람이 필요해." 또 다른 남성이 강하게 주먹을 쥐며 외친다.

"맞아, 우리가 얼마나 참아왔는데. 이제는 진짜 행동할 때야. 이런 부패한 나라에서 살 수 없어." 젊은 청년이 이를 악물며 말한다.

길거리마다 사람들은 한데 모여 분노를 터뜨린다. 곳곳에서 'New Korea 운동'이라는 이름의 포스터가 붙어 있고, 이를 본 시민들은 그 문구에 공감하며 고개를 끄덕였다.

"정부와 정치인들, 그리고 언론까지, 자기들 밥그릇 챙기기에만 급급하지. 우리가 이렇게 분노하는데도 그들은 아무렇지도 않은 얼굴로 우리를 기만하고 있구나." 한 노인이 비통한 표정으로 말했다.

그들의 분노가 거대한 물결을 이뤄 대한민국 전체를 뒤흔들 준비를 하고 있다.

청년 4: (확성기를 들고) "기득권을 위한 정치를 용납할 수 없다! 다른 한쪽은 약자를 기만해서 표를 얻는 놈들도 꼴도 보기 싫다! 얼굴만 봐도 토가 쏠리는 정치인들 갈아엎자!"

시민 1: "우리는 새로운 대한민국을 원한다! 아이들의 울음소리가 들리지 않는 이 나라를 바로잡아야 한다!"

시민 2: "국민을 배신한 정치인들과 범죄자 집단인 야당에 기회를 주지 말자! 북한은 필요 없다! 남한의 안보와 주적을 바로 하라!"

군중은 점점 더 많아지고, 분노의 목소리가 커진다. 곳곳에서 피켓을 들고 행진하는 사람들이 보인다.

마포구, AG 텔레콤 본사 고층빌딩. 한성준 회장의 취임식이 열리고 있다. 고급스러운 실내장식과 함께 대형 스크린에 그의 얼굴이 비친다. 직원들과 주요 사내 인사들이 손뼉을 치며 축하한다. 한성준은 단상에 올라가 연설했다.

"오늘 이 자리에서 새로운 시작을 알립니다. 우리 AG telecom은 더 큰 도약을 위해 나아갈 것입니다. 앞으로의 대한민국, 더 나아가 세계를 선도하는 기업이 되겠습니다. 여러분, 함께 힘을 모아주시길 바랍니다."

홍보팀장 정민희는 활달하고 외향적인 성격을 드러내듯, 환한 미소를 지으며 한성준의 말을 경청한다. 그리고 자신감 넘치는 표정으로 청중을 바라보며, 그들의 반응을 주의 깊게 살핀다.

취임식이 끝나고 회장실. 넓고 현대적인 사무실에서 한성준은 창가에 서서 강남의 아름다운 야경을 바라보고 있다. 내빈용 소파에는 비서실장 이준호와 홍보팀장 정민희가 커피를 마시며 잡담을 나누고 있다.

한성준은 30대 후반의 나이에도 불구하고 냉철하고 계산적이다. 날카로운 눈빛과 단정한 외모로, 그 어떤 감정도 쉽게 드러내지 않는 편이다. 소파에 앉아 정민희와 수다를 떠는 30대 중반 이준호는 한성준과 오랜 시간 함께 일해오며, 오른팔 역할을 해왔다. 실용주의자로서 한성준에게 무한 충성하며, 그 역시 감정을 잘 드러내지 않는다. 입고 있는 옅은 회색 슈트는 늘 차분한 성격을 대변했다. 급변하는 상황에 따라 대처하는 능력이 뛰어나며, 그 누구보다 한성준의 야망을 지지하는 인물이다.

한성준: (창밖을 바라보며) "이런 대혼란 속에서 정보를 쥔 자가 최고 권력을 갖게 될 거야."

이준호: "맞습니다. 부회장님. 아니 회장님. 만약에 구글이나 애플이 서비스를 중지하면 세계는 어떻게 될까요?"

정민희: "그 뜻이라면, 우리가 제공하는 서비스만 중지돼도 대한민국은 지금보다 더 큰 난리가 날 겁니다."

정민희는 30대 후반의 나이로, 활달하고 외향적인 성격을 지녔다. 기자 출신으로, AG 텔레콤의 홍보를 맡아 고객과의 소통을 담당하는 그녀는 밝은 블라우스와 세련된 치마를 입고 있다. 긴 머리를 단정하게 묶었으며, 항상 밝고 미소를 띠고 있다.

한성준: (고개를 돌리며) "펜이 칼보다 강하다고들 하지. 하지만 저 성난 군중의 지지 없이 강함만으로는 나라를 다스릴 수 없어. 정보 외에 무엇이 필요한가?"

정민희: "우리가 추적하지 못하는 IP로 정치인들의 폭로를 계속 이어가는 해커들의 존재를 알아내야 합니다. 우리는 SNS 서비스와 통신망으로 나라 점유율을 90%나 차지하고 있습니다. 그러나, 해외 서비스를 이용하는 정치인들의 정보도 알아내려면 그들이 필요합니다."

이준호: "회장님, PC 한 대와 네트워크만으로 세상을 좌지우지할 수 있는 천재들이 어딘가 박혀있죠."

정민희: "그들과 접촉해서 우리가 원하는 방향으로 끌어들이는 방법이 중요합니다."

이준호: "맞습니다, 회장님. 저번에 말씀드렸듯이, 20~30대 중에는 하나에 특화된 히키코모리들이 많습니다. 후배 중에도 화이트해커

로 일했던 김유진이라는 후배가 있습니다. 그녀는 미국 대기업에서 일하다가 퇴사하고, 지금은 대한민국에서 자신만의 길을 찾고 있습니다."

한성준: "맞아, 이 실장. 예전에도 얘기했잖아. 그래서 김유진과의 접촉 준비는 어떻게 되어가고 있지?"

이준호: "오늘 저녁에 만나기로 했습니다."

한성준: "좋아. 이준호, 정민희. 우리에게 주어진 시간은 많지 않아."

한성준은 잠시 창밖을 응시하며 깊은 생각에 잠겼다. 그리고 다시 그들을 향해 돌아서며 의미심장한 질문을 던진다.

한성준: "힘…. F=ma가 맞나?"

이준호와 정민희는 한성준의 질문에 당황한 듯 머뭇거린다.

이준호: "네…. 맞습니다. 힘은 질량과 가속도의 곱이죠."

한성준: "그렇다면, 펜이 칼보다 강하다는 말처럼, 정보와 자금도 총보다 강한가?" (생각에 잠기며) "그래. 이미 망가진 기자와 언론

을 신뢰하지 않는 국민에게 더 자극적인 게 필요하지."

정민희와 이준호는 서로를 바라보며 답을 찾지 못한 채 침묵했다.

한성준: "이 실장, 나라에 개돼지들이 없으면 재미가 없지. 우리가 돈이 많아봤자 의미가 없잖아."

이준호는 순간 놀라 한성준을 쳐다보며, 그가 지금 무슨 말을 하려는 건지 직감적으로 알 수 있었다.

한성준: "대한민국은 어차피 망해가고 있어. 지금 이 나라에서, 모든 정보를 쥐고 있는 우리가 한번 해봐야 하지 않겠어?"

이준호는 한성준의 말에 속으로 동의하면서도, 그 표현의 과격함에 약간의 당황을 감추지 못한다. 그러나 그는 바로 다시 표정을 가다듬고, 한성준의 말을 진지하게 받아들인다.

한성준: "정보와 돈. 그 두 가지를 우리가 쥐고 있다면, 총과 칼이 무슨 소용이겠어? 우리가 이 나라를 어떻게 바꿀지, 내가 보여주고 싶어. 그걸 할 수 있는 사람이 바로 나야!"

이준호는 고개를 끄덕이며 그의 말을 받아들인다. 한성준의 야망이 그의 마음속 깊이까지 스며든다. "회장님, 저도 그렇게 생각합니다. 국민은 개돼지처럼 우리를 따를 겁니다. 이 나라를 새로운 방향으로 이끌 수 있다면, 그것만으로도 충분히 가치가 있죠."

한성준은 이준호의 말을 들으며 만족스러운 미소를 지으며, 자신의 계획을 머릿속에 그렸다.

한성준: "이 실장, 아무쪼록 김유진을 설득하는 것은 네가 맡아. 그리고 그녀와 함께할 다른 인재들도 우리 편으로 끌어들이자고. 한번 제대로 칼춤 춰봅시다."

한성준: "그리고 늘 아버지가 말씀하셨지. 너무 단단하면 오히려 부러진다고. 항상 강함과 부드러움의 적절한 조화가 필요해."

정민희: "그럼, 우리가 필요한 것은…. 국민의 신뢰와 지지군요."

한성준: "그렇지. 아무리 강하더라도 국민의 지지가 없으면 아무것도 할 수 없어. 그래서 김유진과 같은 천재들이 필요한 거야. 그들이 우리의 계획을 도와줄 수 있는 열쇠야."

이준호: "네, 회장님. 모든 준비를 철저히 하겠습니다."

한성준: "이미 망할 대로 망한 나라야."

이준호가 핸드폰을 확인하니, 김유진에게서 온 문자메시지가 있었다. '주소: 서울시 강남구 OO동 XXXX.' 도착하자마자 문을 두드렸지만, 아무런 응답이 없다. 다시 문을 두드리며 말했다. "김유진! 나 이준호야. 거기 있어?"

여전히 대답이 없자, 손잡이를 돌린다. "아니, 무슨 여자 혼자 사는 집에서 문을 안 잠가?"

문을 열고 들어서자, 어둠 속에서 우유 썩은 냄새와 오래된 공기가 뒤섞인 듯한 불쾌함이 코를 강하게 찌른다.

"김유진? 여기 있냐?" 긴장된 목소리로 소리쳤다. 한쪽 구석에는 널브러진 음식 쓰레기와 사용한 생리대가 쌓여 있고, 유일하게 빛이 넘나드는 모니터 주변은 지저분한 케이블과 빈 음료수 캔들이 뒤덮여 있다.
구석에는 김유진이 후드티를 입고 헤드폰과 모자를 눌러쓴 채 앉아 있다. 후드티는 색이 바래 꽤 많은 세탁을 거친 듯 보였고, 모자 밑으로 흘러내린 긴 머리카락은 한동안 손질되지 않은 듯 푸석푸석했다. 얼굴은 창백했고, 눈그늘이 진하게 내려앉아 있었다. 검은 눈동자가 빛을 잃은 채 모니터 화면만을 응시했다.

이준호: "뭐. 이렇게 더러운 방이 다 있냐. 좀 치우지?"

김유진은 천천히 고개를 돌려 이준호를 지긋이 바라본다. 눈빛은 무기력했지만, 그 속에는 날카로운 지성도 깃들어 있다. 이준호는 그런 그녀를 보며 한때 대학교에서 그녀가 얼마나 열정적이고 활기찼는지 떠올렸다. 그들은 같은 대학에서 컴퓨터 공학을 전공했고, 유진은 항상 최상위 성적을 유지하며 모두의 주목을 받았다.

김유진: (씁쓸하게 웃으며) "왜요? 세상이 망해가는 걸 보면서 난 즐겁거든요. 이런 혼란스러운 방이 나한테는 딱 맞아요."

이준호: (코를 막으며) "도대체 이 냄새는 뭐야…. 생리대까지 그냥 버려두고."

김유진: (화면에서 눈을 떼지 않고) "뭐, 내 스타일이지. 이렇게 지저분해야 집중이 잘 된다고."

(잠깐 두 사람 사이에 침묵이 흐른다. 오래된 선후배 사이인 그들은 잠시 반가움을 느낀다.)

이준호: "오랜만이다. 미국에서 그렇게 잘 나가던 네가 왜 갑자기 사라졌는지 궁금했어."

김유진: "재미없었거든. 대기업에서 일하는 건 내 스타일이 아니야. 규칙에 얽매여 사는 건 지루해. 대한민국은 언제나 혼돈과 재미가 넘쳐나는걸."

이준호: "그래도 연락 한번 없이 갑자기 사라지면 어쩌냐. 다들 걱정했잖아."

김유진: "누가 날 걱정하겠어. 어차피 혼자 사는 인생이잖아. 근데 무슨 일로 보자고 했어?"

이준호는 자신만의 세계에 갇혀버린 그녀를 지긋이 바라보다가 씁쓸한 미소를 지으며 말한다.

이준호: "이렇게 어두운 곳에서만 지내지 말고, 밖으로 나가서 세상과 다시 맞서보는 게 어때?"

김유진은 무심한 듯 어깨를 으쓱하며 대답했다.

김유진: "밖에 나가서 뭘 하라는 건데? 이미 세상은 망가졌고, 내가 할 수 있는 건 없다고 생각해."

이준호: "네가 팀을 구성해보는 건 어때? 우리가 구축한 통신망과 너희 능력이 맞물린다면, 새로운 세상이 올 거야."

김유진: (웃으며) "응 맞아 AG 텔레콤 오늘도 상한가 찍었지. 너무 독점하는 거 아니야? 그나저나 내가 왜?"

이준호: "세상에 더 큰 혼란을 주려면, 우리와 손을 잡아야 해. 넌 이게 재밌다며?"

김유진: "음…. 그렇다면, 더 흥미진진하겠군. 나에게 무슨 대가를 주지? 팀원을 모으려면 조건이 확실해야지."

이준호: "돈은 물론이고, 너희가 원하는 조건은 다 들어줄 수 있어. 넌 우리에게 꼭 필요한 인재야."

이준호는 김유진의 결연한 눈빛을 보며 고개를 끄덕였고, 두 사람은 새로운 동맹을 맺었다. 그리고 이준호가 그녀의 방을 나서자마자 김유진은 모니터에 집중하며 키보드를 두드린다. 네트워크에 접속하여 신뢰할 수 있는 해커들과 연락을 시도한다.

김유진은 종종 드나드는 한적한 카페로 천천히 걸었다. 카페 문을 열고 들어서자마자, 구석진 자리에서 노트북을 두드리고 있는 한 남자가 시야에 들어온다. 이현우다. 깔끔하게 정돈된 짧은 머리에 안경을 쓰고 있고, 키는 약 180cm 정도로 슬림한 체형이다. 20대 후반의 젊은 나이지만, 얼굴에는 찌든 내가 살짝 올라와 피로한 기색이 가시지 않았다. 그는 과거 내성적인 성격에도 불구하고, IT 관련 기술 업무에서는 그 누구보다도 열정적이었다. 그의 테이블로 다가가니, 이현우가 고개를 든다.

김유진: "이현우, 요즘 어떻게 지내?"

이현우는 잠시 망설이다가 천천히 미소를 짓고 말한다.

이현우: "유진 선배, 정말 오랜만이네요. 여전히 바쁘게 지내고 있어요. 새로운 알고리즘 개발에 몰두하고 있죠."

김유진은 그가 일하는 모습을 보며 고개를 끄덕인다.

김유진: "역시 개발자답게 열심히 일하고 있구나. 내가 오늘 너한테 중요한 제안을 하러 왔어."

이현우는 노트북을 닫고 그녀의 입으로 시선을 집중한다.

이현우: "중요한 제안이라…. 어떤 건데요?"

김유진은 의자에 앉아 그에게 자세히 설명한다. "우리가 새로운 팀을 만들려고 해. 이름은 Cyber Rebel. 대한민국의 주요 인사들을 해킹하고 폭로하는 일이야. 네가 우리 팀의 핵심 맴버가 되어줬으면 해."

항상 새로운 도전에 목말라 있는 현우는 김유진의 제안이 은근 달가웠고 호기심이 샘솟는다. 하지만 협상을 하기 위해 켕기는 듯이 물어본다.

이현우: "흥미로운 제안이네요. 하지만 제가 왜 그 팀에 들어가야 하죠? 솔직히 말해서, 저는 지금 당장 해외로 도피할 수 있는 돈이 필요해요. 나는 달러가 가장 중요하다고요."

김유진은 그의 말에 입꼬리가 올라갔다. 이미 그의 동기를 잘 알고 있었기 때문이다.

김유진: "알아. 그래서 AG telecom이 우리에게 매주 거대한 자금을 지원해줄 거야. 넌 이제 달러로 똥 닦아도 돼."

이현우는 크게 웃으며, 망설일 이유 없이 고개를 끄덕인다.

이현우: "좋아요. 그럼 저도 Cyber Rebel에 합류할게요. 언제 시작하면 되죠?"

김유진은 만족스러운 미소를 지으며 답했다. "금방 시작할 거야. 일단 너와 나, 그리고 한 명이 더 필요해. 곧 만나게 될 거야."
이현우는 노트북을 다시 열고, 김유진과 함께 다음 맴버 구성을 논의한다. 회의가 끝나고 김유진은 홀로 어두우면서도 환한 환락가 거리로 발걸음을 옮겼다. 낡고 빛바랜 간판이 어둠 속에서 희미하게 빛나고, 거리는 사람들의 토와 고성 그리고 여자들의 향수 냄새로 가득했다. 좁고 어두운 골목으로 들어선 후, 한참을 걸어간 끝에, 그녀가 일하고 있는 곳에 도착했다.

정수진은 30대 초반의 나이로 그동안 겪어온 고난과 피로가 얼굴에 고스란히 드러났다. 긴 머리를 헝클어진 채로 늘어뜨리고, 짙은 화장과 강렬한 빨강 립스틱으로 치장한 모습이 눈에 들어왔다. 짧은 가죽 재킷과 속이 훤히 드러나는 레이스 팬티와 브라만 입고 있었다. 김유진이 문을 열고 들어오자, 정수진은 고개를 돌려 그녀를 바라본다. 그리고 한 손으로 쥔 가느다란 담배가 마구 흔들린다. 그들은 한때 미국 대기업에서 함께 일한 동료였다.

정수진: "어머나. 이게 누구야? 도대체 무슨 일이야, 여기까지 오다니. 어떻게 안 거야? 언니"

김유진은 잠시 주저하다가, 그녀 옆으로 바싹 다가간다.

김유진: "너를 찾으러 왔어, 이렇게 지내는 게 네가 원하는 삶이 아니잖아."

정수진은 쓴웃음을 지으며 담배 연기를 내뿜는다.

정수진: "언니가 내 심정을 알긴 해? 인제 와서 무슨 소용이야. 다 망해버린 나라에서. 난 그냥 살아남기 위해 이러는 거야." 김유진은 그녀의 손을 잡는다. "나는 우리가 함께했던 그 시절을 기억해. 너는 항상 도전적인 일을 찾아다녔고, 불의를 참지 못했잖아. 지금 네 능력을 이렇게 썩히고 있는 건 세상의 이치에 안 맞아."

정수진은 잠시 그녀의 말을 듣고 있다가, 천천히 담배를 비벼 끄며 고개를 숙인다. "하지만 지금 나한테 뭐가 남았다고…."

김유진: "Cyber Rebel. 우리가 새로운 팀을 만들 거야. 세상을 바꿀 힘이 필요해, 수진. 우리와 함께해줘."

정수진: "새로운 팀이라…. 이런 암흑 같은 세상을 어떻게 바꿀 건데?"

그녀의 귀에 가까이 다가가 속삭인다. "AG 텔레콤이 우리를 백업해줄 거야. 너는 그저 가장 잘하는 짓을 하면 돼."

정수진은 그녀의 뜨거운 숨결이 귀를 간질이는 것을 느끼며, 긴장과 흥분이 동시에 밀려온다. 김유진은 고새 숨이 닿을 정도로 가까이 있었다.

"함께라면" 김유진이 미소를 지으며 말한다. "우리는 무엇이든 할 수 있어. 이 세상을 우리가 원하는 대로 만들 수 있다고."

정수진은 의아한 표정으로 그녀를 바라봤다. "그런 걸 정말 할 수 있을까?"
김유진은 고개를 끄덕이며, "할 수 있어. 너와 나, 그리고 이현우까지. 우리 셋이서 시작하는 거야. 세상을 바꿔보자."

정수진은 이내 결심한 듯 고개를 들었다. "이현우? 크크. 나도 함께할게. 한 번 믿어볼게."

그들은 Cyber Rebel이라는 이름 아래 모여, 정치인들을 폭로하며, 세상의 부패를 바로잡기로 한다. 그리고 때가 오자, 서울 외곽 버려진 창고에서 만났다. 이곳은 외부와 단절되어 은신처 역할을 하기에 최적이다. 한때 물류창고로 사용되었지만, 지금은 사람들의 기억 속에서 잊힌 장소였다. 외관은 낡고 오래된 빨간 벽돌로 지어졌고, 커튼과 함께 빛이 들어오지 않는 창문은 거미줄이 한없이 헝클어졌다. 입구는 큰 철문으로 되어 있으며, 그 위에는 '외부인 출입 금지'라는 다소 허술한 경고문이 붙어 있다. 내부는 100평 정도로 드넓은 1층 건물의 높이다. 곳곳에 낡은 기계와 나무상자가 어지럽게 쌓여 있다. 바닥에도 먼지가 두껍게 쌓여 있지만, 김유진은 이곳을 자신들만의 비밀 기지로 탈바꿈할 계획을 세웠다. 중앙에는 큰 테이블을 놓고, 그 위에는 최신형 컴퓨터 6대와 해킹 장비들을 하나씩 정교하게 배치했다. 벽 한쪽에는 대형 화이트보드를 붙이고, 각종 음모와 전략을 빽빽하게 적을 준비를 마쳤다.

김유진: "현우야, 여기가 우리 새로운 기지야. 이제부터 이곳에서 우리만의 목표를 이루기 위해 함께 일하게 될 거야."

이현우는 창고 내부를 구석구석 둘러보며 고개를 끄덕인다. 이미 머릿속으로 이곳을 어떻게 더 효율적으로 사용할지 구상하고 있다.

이현우: "이곳이라면 충분히 가능할 것 같아. 필요한 장비와 네트워크 연결만 제대로 구축하면, 우리가 원하는 모든 것을 할 수 있을 거야. 초석을 닦기에 나름 괜찮은 장소다. 그리고 무엇보다 달러만 제대로 들어오면 상관없어."

정수진이 바바리코트를 입고, 선글라스를 낀 채 문을 두드리고 들어왔다. "언니, 여기 너무 더러워. 그나저나 뭐부터 할 거야? 빨리 하자~ 재밌겠어. 술 먹고 남정네들이랑만 뒹굴다가 목표가 생기니까 뭔가 새로워."

김유진: (컴퓨터 전원을 누르며) "이제 곧 시작이야. 부패한 정부와 기득권층을 뒤엎을 시간이 왔어. 우리가 아니면, 누가 이 나라를 구하겠어?" 모니터에 집중하며 타이핑을 이어간다. 나머지는 긴장된 표정으로 그녀를 쳐다본다. 팀원을 모은 그녀는 이준호에게 암호화된 프로그램으로 전화를 걸었다.

이준호: "유진아, 왜 팀원을 3명으로 정한 거야?"

김유진: "왜 삼국지가 유명한 줄 알아요?"

이준호는 고개를 갸웃하며 오른손으로 쥐던 핸드폰을 왼손으로 옮기고 묻는다. "삼국지? 무슨 소리야. 왜 그런 건데?"

"삼국지는 단순히 세 나라가 싸우는 이야기로 유명한 게 아니에요. 그 핵심은 서로의 균형과 견제에 있어요. 오나라, 촉나라, 위나라 각각의 권력을 가지고 서로를 견제하면서, 어느 한 나라가 절대적인 힘을 가지지 못하게 만드는 구조였죠. 그런 점에서 세 개의 권력이 가장 이상적이에요."

이준호: 그럼 삼권분립도 그런 이유에서 나왔다는 거군?

김유진은 고개를 끄덕인다. "맞아요. 삼권분립은 입법, 사법, 행정이 서로 견제와 균형을 유지하면서 어느 한쪽이 절대적인 권력을 가지지 못하게 하는 원리죠. 우리 팀도 마찬가지예요. 세 명이 서로의 역할을 분담하고, 견제하면서 최상의 결과를 낼 수 있을 거예요. 짝수를 이루면 균형이 깨지고, 힘의 불균형이 생기니까요."

이준호: "하하하. 진짜 서로 견제하려고 그런 거야? 대놓고 이야기하네! 아주. AG 텔레콤은 모든 준비가 끝났어. 이제 회장님 신호만 기다리면 돼. 어? 유진아. 회장님 전화 온다. 이따가 다시 전화할게."

(뚜~ 뚜~)

"네, 회장님. 이준호 실장입니다. 알겠습니다. 지금 바로 정민희 팀장과 10층으로 내려가겠습니다."

한성준은 야심한 밤 11시, 직원이 대부분 퇴근한 시간에 12층 회장실에서 엘리베이터를 타고 10층으로 내려갔다. 그들은 전략본부 회의실을 지나 철저한 보안 시스템을 통과하며, 극비 보안구역으로 걸음을 옮겼다. 이곳은 이준호와 정민희만 알고 있는 비밀의 방이었다.

"후후. 대한민국 통신망을 장악한 데이터베이스가 전보다 훨씬 넘쳐나는군요" 이준호가 문을 열며 모니터 속 눈에 들어온 파일들을 보며 말한다.

옆에 있던 정민희가 덧붙인다, "SNS에 바이러스를 심어서 배포한 악성코드로 무려 10년간 수집했으니까요. 여기야말로 용산보다 값어치가 나가는 보물창고지."

한성준은 고개를 끄덕인다. "맞아. 한국인에게 김치가 없으면 밥을 못 먹듯이, 이 자료들도 배포만 하면 시민들이 황홀한 묵은지를 맛볼 수 있지. 우리 계획이 완벽하게 실행되었군." "이제, 이 정보를 어떻게 활용할지 결정해야 해. 묵은지를 잘 이용하면, 위기가 온 대한민국을 장악하는 것은 시간문제일 뿐이야."

그들은 통신망과 SNS 서비스를 통해 얻은 정보들이 저장된 서버들을 다시 바라봤다. 정치인들뿐만 아니라 기업들의 내막, 그리고 상류층과 국민의 모든 사생활까지 이곳에 담겨 있다.

"너희는 지금부터 대통령, 장·차관, 국회의원, 판·검사, 그리고 대기업들의 비리 관련 정보를 Cyber Rebel 팀에 넘겨. 그리고 해외 SNS인 텔레그램과 Discord, 레딧도 해킹해서 자료를 추가로 모으라고 연락해."

한편, Cyber Rebel 팀 소속 김유진, 이현우, 정수진은 각자의 자리에 앉아 컴퓨터 화면을 주시하고 있었다. 김유진은 스파크가 튀길 듯한 열정적인 눈빛으로 모니터를 응시하며 손끝으로 타닥타닥 소리가 끊이지 않았다. 이현우는 안경을 한번 고쳐 쓰고 해외 소프트웨어를 해킹 중이었다. 정수진의 한 손은 담배를 피우며 다른 한 손은 마우스로 해킹된 자료들을 클릭했다.

이현우: "텔레그램에서 꽤 많은 자료를 발견했어. 여기 국회의원이 검은돈을 주고받는 장면, 장·차관들이 배우들과 섹스하는 장면이 다 있네."

정수진: "이야, 대박이네. 이게 다 사실이라고? 대한민국 상류층이 이렇게 썩어빠진 줄은 알았지만, 이 정도일 줄이야. 서로가 서로를 견제하려고 다들 모았나 봐."

김유진: "영원한 적도 아군도 없는 법이지. 이건 시작일 뿐이야. AG에서 넘어온 정보들까지 합치면, 그야말로 핵폭탄이지."

김유진은 손끝으로 모니터를 가리키며 웃었다. "여기 봐. 이것도 완전 영화 찍는 것 같지 않아?"

이현우: "그냥 영화가 아니라 19금 영화지. 역시 생선은 대가리부터 썩는군. SNS에 풀면 대한민국이 완전 난리 나겠는데?"

정수진: "할리우드급 스캔들이야. 이거 터트리면, 그 새끼들 다 무너질 거야."

김유진: "우린 더 많은 자료가 필요해. 더 찾아봐. 이건 단순한 폭로가 아니라, 그들을 무너뜨릴 증거가 될 거야."

이현우는 비웃음을 띠며 말한다. "이제 돈의 힘이 아니라, 정보의 힘이 어떤 건지 보여줄 때가 됐지. 이게 바로 진짜 권력이지."

김유진: "오케이. 분노한 국민에게 힘을 더 실어줘야 해. 우리는 앞으로 혼돈의 도가니탕을 만드는 요리사이자 영화감독이야."

화이트보드에는 다양한 색깔의 마커로 여러 계획이 적혀 있었다. 한성준, 이준호, 그리고 김유진이 어느새 그 앞에 서 있다. 한성준은 붉은 마커를 잡고 정치인들의 사진 옆에 세부 계획을 적어 내려갔다. "자, 여기 김 의원. 그가 해외 비자금을 얼마나 빼돌렸는지 알아내야 해. 그리고 Cyber Rebel 팀이 그의 친분 있는 사람들과 반대정당까지 핸드폰을 모두 해킹해서 그 증거를 찾아내."

"그들 서버에 바로 접근하는 건 어려울지 몰라도, 우린 이미 그 이상의 해킹을 해봤잖아요." 김유진은 흥미롭다는 표정으로 한성준을 바라보며 말했다. "그리고 박 의원의 대북 송금도 수면 위로 올려야 해. 그의 비서와 통화 기록이 결정적 증거가 될 거야."

한성준은 고개를 끄덕이며 파란 마커로 박 의원의 사진 옆에 메모를 적었다. "좋아, 우리 SNS로 언제 배포할지도 생각해봐."

정민희는 미소를 지으며 대답한다. "우리 SNS에 배포하는 것은 식은 죽 먹기지. 언론에 흘리는 것도 내 전문이야. 김유진 씨가 기록을 확보하면 내가 바로 자극적인 기사를 준비할게."

이현우도 고개를 끄덕이며 말한다. "통화 기록 확보는 나한테 맡겨. 확실히 해두겠어. 홍 의원, 그가 최근에 취한 부동산 거래도 조사해야 해. 그의 모든 거래 명세를 해킹하면, 뭔가 나올 거야."

김유진이 꽤 신났는지 히키코모리답지 않게 경박한 목소리로 말한다. "그럼 이제 본격적으로 시작해볼까? 정치인들이 우리를 막으려 해도 이미 늦었어."

이준호는 자신의 노트북을 확인하고, 의욕이 불타오른다. "아이고, 한성준 회장님 제 해외 계좌에 벌써 달러를 입금해 주셨군요."

서울 중심부, 청와대 근처 고급 호텔의 지하실. 평소에는 대규모 행사로 사용되던 이곳이 오늘은 특별히 철저한 보안 속에 비밀 회동이 진행됐다. 호텔 입구에는 보안 요원들이 각자의 위치에서 자세를 흩트리지 않았고, 몇몇 일반 손님들만이 오가고 있을 뿐, 특별한 낌새를 눈치챈 사람은 없다. 호텔 내부는 화려하고 세련된 대리석 바닥과 벽타일로 꾸며져 있었지만, 지하로 내려가는 엘리베이터는 따로 구분되어 있어 외부인들의 접근이 절대 불가능했다. 지하 깊숙이 위치한 회의실은 방음재가 두껍게 깔려 있어 외부 소음이 전혀 밖으로 들리지 않았다. 커다란 원탁에 대통령, 국정원장, 장·차관들, 그리고 일부 국회의원들이 둘러앉았다. 방 안의 공기는 너무나 무거워 숨이 턱턱 막힐 지경이었다.

국정원 팀장 이수민은 중년 나이인 40대 중반의 여성으로 평소와는 달리 날카로운 눈빛과 매서운 표정이 얼굴에 드리워있었다.

이수민: "대통령님, 지금 상황이 매우 심각합니다. 반정부 시위가 전국으로 확산하였고, 자칫 무정부 상태까지 치달을 수 있습니다."

대통령은 이수민의 말을 듣고 그의 뱀눈이 커졌고, 손에 들고 있던 펜도 놓쳤다. 그리고 얼굴이 굳어진 채, 한순간 의자에서 몸을 앞으로 기울였다. "아니. 국정원장, 그 정도로 심각한가요?"

국정원장은 단호한 목소리로 대답했다. "예, 심각합니다. 시민들이 국회의사당에 돌을 던지고, 경찰과 폭력적으로 대치하고 있습니다. 이대로 가면 정부의 통제력이 완전히 무너질 수 있습니다."

국회의사당과 용산경찰서 앞. 2만 명의 시민들이 모여 격렬하게 시위를 벌이고 있다. 사람들은 돌과 나무 몽둥이를 들고 있으며, 분노에 찬 표정으로 정부의 건물로 돌을 던졌다. 경찰은 방패를 들고 방어선을 구축하며 시위대를 막고 있었다.

한 시위자가 외친다. "부패한 정부는 물러나라! 국민을 배신한 대가를 치러야 한다!"

돌이 날아와 경찰의 방패에 부딪히며 굉음이 울린다. 경찰은 맞대응으로 최루탄을 발사하고, 시위대는 더욱 격렬하게 반응하며 그들에게 달려든다.

국정원장은 다시 입을 열었다. "이대로 두면, 정부의 권위는 물론, 국가의 존립 자체가 위태로워집니다. 이수민 팀장 말대로 반정부 사태를 넘어서 무정부 상태로 갈 위험이 있습니다."

국토부 장관이 불안한 표정으로 물었다. "그럼 어떻게 해야 합니까? 이 상황을 어떻게 진정시킬 수 있습니까?"

이수민은 단호하게 대답했다. "우선 강경하게 진압할 필요가 있습니다. 동시에, 시민들의 요구를 진지하게 받아들이고, 정부의 부패를 척결하는 모습을 보여줘야 합니다. 그렇지 않으면, 이 상황을 돌이킬 수 없습니다."

최루탄 연기가 자욱한 거리에서 사람들은 눈물을 흘리며 비명을 지른다. 경찰은 곤봉을 휘두르며 시위대를 진압하려 하지만, 그럴수록 저항은 점점 거세졌다. 한 명이 피를 흘리며 외친다. "우리는 정의를 원한다! 정부는 썩어빠졌다!"

경찰은 마치 거대한 파도에 맞서는 것처럼, 시위대의 힘에 밀려났다. 곳곳에서 부상자들이 속출했고, 거리는 혼돈의 아수라장이 됐다.

이수민: "대통령님, 이제 결단을 내려야 할 때입니다. 우리가 빠르게 움직이지 않으면, 이 나라의 미래는 없습니다."

대통령은 깊은 한숨을 쉬며 고개를 끄덕인다. "알겠습니다, 국정원 팀장. 최대한 빨리 대책을 마련합시다."

회의실의 분위기는 여전히 무겁고, 밖에서는 시위의 함성이 끊임없이 울려 퍼졌다.

서울의 명동. Cyber Rebel이 폭로한 정치인들의 비리와 부패가 연일 뉴스와 SNS를 통해 퍼지고 있다. 거리 곳곳, 시민들은 스마트폰을 들고 분노와 실망에 찬 얼굴로 뉴스를 보고 있다. 그리고 사람들 사이에서는 세대와 남녀 갈등 그리고 저출산 문제에 대한 논쟁이 끊이지 않았다.

거리 한복판, 여러 연령대의 청년, 중장년, 노년층이 뒤섞여 있다.

20대 청년 김지훈: "이제는 우리가 나서야 할 때입니다! 기성세대들은 자기들 이익만 챙기고, 우리 미래는 전혀 생각하지 않잖아요?"

50대 중년 박철수: "젊은이들, 너희들이 아직 세상을 모르는구나. 우리도 다 고생하며 여기까지 왔다. 쉽게 말하지 마라."

30대 직장인 이민영: "저희도 고생 많이 했습니다. 하지만 지금 현실은 너무 힘들어요. 집값은 천정부지로 오르고, 일자리도 없고…."

국민연금 문제로도 청년층과 기성세대 간의 갈등이 극에 달했다. 청년들은 자신들이 더 많이 내고 적게 받는 불공정한 연금 구조에 불만이 많다. "우리 세대는 뭐야, 돈만 내고 나중에 받을 건 없잖아!"라는 목소리가 거리 곳곳에서 들려온다.

반면, 노년층은 "우리가 낸 돈으로 지금 살아가는 건 당연한 거 아니야?"라며, 당장 생계가 걸린 문제로 방어적인 태도를 보인다.

정부는 이 문제를 해결하기 위해 연금 개혁안을 내놓지만, 이미 국고가 바닥난 상황에서 뾰족한 해결책을 제시하지 못했다. "나라가 돈이 없는데 무슨 개혁이야, 그냥 다 같이 망하는 거지!"라는 비관적인 목소리도 나온다.

이 말처럼 경제 상황은 더욱 암울했다. GDP 대비 300%에 육박하는 국가부채는 대한민국 경제에 암 덩어리같이 무겁고도 무서운 짐이었다. "이대로 가다간 진짜 파산하는 거 아니야?"라는 우려가 가득했다. 가계부채 역시 감당할 수 없는 수준으로 치솟아, 가정이 파탄에 이르는 지경이었다. "대출이자도 못 갚는 데 무슨 미래가 있어?"라며 고통을 호소하는 사람들이 늘어났다.

정부는 경제 회복을 위해 다양한 정책을 시도하지만, 이마저도 효과는 미미했다. "일자리가 없어, 취업은 꿈도 못 꿔!"라는 청년들의 절망적인 외침이 곳곳에서 들렸다. 기업들은 투자 대신 비용 절감에만 몰두하고, 소상공인들이 하나둘씩 문을 닫고 있다.

대한민국은 그야말로 혼란과 불안의 소용돌이에 빠져 있었다. 국민은 미래에 대한 희망을 잃어가고 있고, 사회 전반에 걸친 불신과 불만이 팽배했다.

"어차피 다 망할 거, 뭐하러 열심히 해?"라는 체념적인 분위기가 2030년을 강타했다.

한쪽에서는 남녀 갈등이 표출되어 극에 달했다.

20대 여성 김수진: "남자들이 다 해 먹잖아요. 여성들이 일할 기회조차 제대로 주지 않으면서 무슨 남녀평등을 말합니까? 아직도 유리천장이에요"

30대 남성 이준석: "그렇다고 남자들이 다 잘 사는 것도 아니에요. 우리도 취업하기 힘들고, 성비 불균형으로 결혼하기 힘든 건 마찬가지입니다."

40대 여성 박영희: "서로 싸우지 말고, 함께 해결책을 찾아야죠. 이런 갈등이 문제를 더 악화시킬 뿐이에요. 그리고 이것을 이용해서 선동하는 정치꾼들은 더 좋아할 일이고요"

인터넷과 유튜브, 각종 소셜 미디어에서는 남녀 갈등이 더욱 적나라하게 드러났다.

남성1: (격앙된 목소리로) 요즘 여자들 진짜 너무하네요. 뭐든지 남자 탓만 하고, 자기들은 다 피해자인 척. 완전 김치녀들이죠!

남성2: (동조하며) 맞아요. 진짜 보룡인이에요. 자기 이득만 챙기려고 하고, 남자는 전부 잠재적 성범죄자예요.

한 여성이 군복을 입고 비아냥거리는 표정으로 유튜브 영상을 찍는다.

여성1: (비웃으며) 남자들, 군대 가는 게 그렇게 힘들어? 그러면 여자들이 대신 가줄 테니까, 너희가 집에서 애나 봐. 어때?

여성2: (웃으며) 맞아, 맞아. 남자들 그렇게 힘들어하면서 군대 갔다 왔다고 생색내는 거, 진짜 꼴불견이야.

거리의 젊은 남녀들은 수박을 반으로 쪼개듯이, 대로를 중심으로 반으로 갈라진 채 서로를 비난하며 거친 말을 주고받았다. 각자의 고충을 이해하지 못하고, 점점 더 극단적인 발언으로 치달았다.

김수진: (울컥하며) 남자들이 김치녀니 뭐니 하면서 우리를 비하하는 거, 정말 참을 수 없어요.

이준석: (분노를 억누르며) 군인을 존중하지 않는 나라는 대한민국밖에 없어요.

인터넷과 현실에서 벌어지는 남녀 갈등은 사회 전체를 휘감고, 갈등의 골은 더욱 깊어만 갔다. 이런 문제로 저출산 문제도 끊이지 않았다. 갈등의 불씨는 꺼질 줄 모르고, 대한민국의 미래는 점점 더 불투명해져만 갔다,

60대 노년 김영호: "옛날에는 애가 복이라고 했는데, 요즘 젊은이들은 왜 이렇게 아이를 낳지 않으려고 하죠?"

30대 주부 장미영: "살기가 너무 팍팍해요. 아이를 낳아서 키울 자신이 없어요. 정부도 제대로 지원해주지 않잖아요."

20대 대학생 이지훈: "결혼은커녕 연애도 힘들어요. 나 혼자 먹고 살 돈도 없어요. 경제적 부담이 너무 큽니다."

그 시각, Cyber Rebel팀이 폭로한 정치인들의 비리 뉴스가 대형 전광판에 실시간으로 업데이트된다.

앵커: "오늘 SNS에 도배된 비리는 국회의원 김모 씨가 수십억 원의 뇌물을 받은 사실입니다. 또 유명 배우와의 대가성 성접대까지 밝혀졌습니다."

술렁이는 시민들 사이에서,

50대 남성 박철수: "정치인들한테 진짜 질렸습니다. 환멸이 나요. 도대체 믿을 수가 없어요."

30대 여성 이민영: "이런 세상에서 우리가 어떻게 살아가야 할지 모르겠어요. 다들 자기 이익만 챙기고…."

사법부에 대한 불신도 극도로 증폭되고 있었다. 거리와 SNS에서는 "유전무죄, 무전유죄"라는 구호가 넘쳐났다.

"범죄자들이 판치는 정당이 버젓이 있는데, 왜 서민들에게만 똑같은 법을 다르게 적용하는 거야?" 법원에서 판결이 나올 때마다 "또 권력자들만 쥐새끼같이 빠져나갔군"이라는 냉소적인 반응이 이어졌다.

"야, 너 어제 뉴스 봤어? 그 재벌 3세, 또 무죄 판결받았대."

"그게 어디 뉴스냐. 나는 언론도 믿지 않아. 이제는 모두 당연한 일이 됐지. 돈만 있으면 법도 피해 가는 거, 우리만 모르는 거야?"

"근데 왜 부모님 세대는 그걸 당연하게 여겨? '원래 그런 거다'라니, 그게 말이 돼?"

"그러니까. 판사랑 검사부터 AI로 바꿔야 해. 이런 불공정한 사회에서 어떻게 희망을 품으라고? 기가 찬다. 기가 차."

옆 테이블에서 대화를 듣던 중년 남성이 끼어든다.

"젊은 친구들, 나도 이해해. 근데 그 불공정한 사회가 하루아침에 바뀌겠어? 우리 때도 그랬어. 돈 없으면 죄인이 되는 거지."

청년들은 고개를 젓는다. "그래서 뭐, 계속 참으라고요? 우리 세대는 뭐 다른 방법이 없다고요?"

"정치인들끼리 짜고 치는 고스톱이지 뭐. 서민들만 법대로 처벌받고,"

"그러니까, 왜 법이 우리한테만 엄격하게 적용되는 건데?"

20대 청년 김지훈: "우리도 뭔가 해야 해요. 이렇게 당하고만 있을 수는 없어요."

40대 여성 박영희: "맞아요. 모두 하나 되어야 해요. 서로 갈등할 때가 아닙니다. 함께 싸워야 해요."

30대 남성 이준석: "그래요, 우리가 모여서 힘을 합치면 계란으로 바위치기든지, 변화를 만들든지. 결과가 있을 거예요."

사람들은 스마트폰을 꺼내 SNS에 글을 올리고, 서로 정보를 공유하며 시위 참여 일정을 맞춘다. 세상의 변화를 위해 목소리를 힘껏 드높이기 시작했다.

국정원장실은 격조 높은 실내장식으로 꾸며진 넓은 방이다. 책장에는 각종 서적과 자료가 빼곡히 꽂혀 있고, 큰 창문 밖으로는 서울의 전경이 보였다. 국정원장과 이수민 팀장이 무거운 분위기 속에서 대화를 나누고 있다.

국정원장: 대한민국의 현주소가 참담하구나. 자원도 없고, 제조업으로 먹고사는 나라가 내수경기만으로 버틸 수가 없지. 외교가 얼마나 중요한가?

이수민 팀장: 맞습니다. 제조업으로 생존하려면 인구와 기술 인재들이 중요한데, 조선 시대처럼 문과 출신들이 요직에 앉아 있다는 것이죠. 그들이 실질적인 산업을 이끄는 데 얼마나 도움이 되겠습니까? 그리고 외교도 5년마다 노선이 너무 달라지고요. 다른 나라가 신뢰하겠습니까?

국정원장: 그뿐만이 아니오. 우리 국민이 남녀 갈등, 2030대와 4050대의 세대 갈등으로 반으로 갈라져 있소. 심지어, 저출산 문제로 인구가 급감하고 있는 대한민국이 무슨 소용이 있겠소? 국가 경제는 이미 파탄이 났고, 망하는 날은 다가왔소.

이수민 팀장: (고개를 끄덕이며) 현재 상황에서 가장 중요한 것은 이 모든 정보를 소유하고 있는 배후를 알아내고, 견제하는 것입니다. 혼란을 틈타 누군가 쿠데타가 일어날 가능성이 매우 큽니다.

국정원장: (심각한 표정으로) 그렇소. 우리가 먼저 움직여야 하오. 배후를 찾아내고, 그들의 정확한 의도를 파악해야 하오. 나라를 구할 수 있는 마지막 기회일지도 모르오.

이수민 팀장: (결의에 찬 목소리로) 저희 팀이 바로 착수하겠습니다. 그리고 모든 방법을 동원해 배후를 밝혀내겠습니다.

국정원장: (고개를 끄덕이며) 그대에게 모든 걸 맡기겠소, 수민 팀장. 이 나라의 미래가 걸려있소.

이수민 팀장은 자리에서 일어나 국정원장을 향해 단호한 눈빛으로 고개를 끄덕였다. 국정원장은 창밖을 바라보며, 다가오는 위기에 대한 결의를 다지는 듯한 표정을 지었다.

한편, 서울 강남의 고급 아파트 단지, 한밤중. 조용히 짐을 싸는 상류층과 일부 정치인들의 모습이 보인다. 국회의원 아내는 고급 여행용 가방에 옷가지를 차곡차곡 집어넣고 있었다. 그들은 서류가방에 중요한 서류와 외화 현금을 넣으며 분주하게 움직였다.

국회의원: (조용히) 최대한 눈에 띄지 않게 나가야 해. 이미 우리 정당 몇몇은 출국했어.

아내: (긴장된 표정으로) 그럼 우리도 빨리 공항으로 가요. 대사관에서는 준비가 끝났다고 했으니까.

이민을 준비하는 상류층과 정치인들은 자산을 안전하게 옮기기 위해 다양한 방법을 동원했다. 한 고급 오피스텔 내부, 암호화폐 거래소 모니터 앞에서 한 국회의원이 진지한 표정으로 거래를 진행 중이다.

국회의원: (혼잣말) 전부 비트코인으로 바꿔야 해. 이렇게 해야 어디서도 추적할 수 없을 거야.

그는 자산을 비트코인으로 전환하고, 보안이 강화된 디지털 지갑에 전송한다. 사법부도 마찬가지였다. 비리가 폭로된 검·판사 가족이 컴퓨터 앞에 모여앉아 스위스 은행의 온라인 계좌를 확인하고 있다.

판사: (냉정하게) 해외 계좌로 전부 옮기자. 스위스 계좌는 안전하니까. 어떤 일이 있어도 여기는 안 털려.

아들: (빠르게 키보드를 두드리며) 네, 이미 절반은 옮겼고, 나머지도 곧 완료됩니다.

어두운 뒷골목, 줄지은 고급 승용차들의 라이트로 눈이 부시다. 상류층과 행정부 관료들이 비밀리에 출국을 준비하고 있다. 가족들과 함께 차에 오르는 그들의 모습은 대단히 소란스럽다.

상류층 1: (차에 오르며) 스위스로 가면, 안전할 거예요.

상류층 2: (가족들을 챙기며) 빨리 출발합시다. 이 나라에 희망은 없어요.

공항의 VIP 라운지에서 정치인들과 그들의 가족들이 출국을 기다리고 있다. 표정은 어두워 보이지만, 그들은 조용히 서로의 안위를 확인하며 차분하게 대화를 나누고 있다.

장·차관: (속삭이며) 잘 있어라. 대한민국. 여기에 남아 있는 것보다 안전한 곳으로 가야 해.

가족: (불안한 표정으로) 우리가 외국에서도 적응할 수 있을까요?

장·차관: (단호하게) 적응할 수 있을 거야. 모든 준비는 다 해뒀으니까.

일부 몇몇은 기업인들의 배려로 사설 전용기에 오르니, 파일럿이 그들을 맞이하며 인사한다.

파일럿: (친절하게) 안전하게 모시겠습니다. 목적지는 스위스 취리히입니다.

정치인: (고개를 끄덕이며) 부탁하네. 여기는 이미 끝났어.

제2화 F=AI?

서울의 K 은행 앞, 사람들은 환전소 앞에 길게 줄 서 있다. 전광판에는 실시간으로 변동하는 원·달러 환율이 미친 듯이 치솟았다. 원화 가치는 달러 대비 급격히 하락하고, 사람들은 공포에 휩싸였다.

환전소 직원: (당황하며) 환율이 지금 1달러에 2000원을 넘었어요! 아쉽게도 소액으로는 달러로 환전이 어렵습니다.

시민 1: (절망적인 표정으로) 제발, 조금만이라도 바꿔주세요! 이 돈 없으면 우리 가족은 굶어 죽어요!

시민 2: (오열하며) 내 평생 모은 돈이 휴짓조각이 됐어…. 어쩌다 이렇게 된 거야….

코스피 증시를 보여주는 주식 창, 모든 지표가 퍼렇게 물들어 있다. 주가는 급락하고, 투자자들은 공황에 빠져 있다.

투자자 1: (주식 창을 보며) 국가가 부도났나 봐. 외인과 기관이 앞다투어 매도하고 있는 것 같아. 우리 회사 주식은 하루 만에 반 토막 났어!

투자자 2: (눈물을 흘리며) 도대체 이 나라가 어떻게 돌아가는 거지. 모든 걸 잃었어….

국회의사당 내부, 정치인들은 화려한 회의실에서 논쟁을 벌이고 있다. 국민의 절망과는 대조적으로, 그들은 여전히 무능한 모습만을 보인다.

정치인 1: (책상을 두드리며) 이 상황에서 세금을 더 걷어야 합니다! 국가부채를 해결하려면 방법이 없어요!

정치인 2: (비웃으며) 세금을 올린다고 해결될 문제가 아니지 않습니까? 이건 그저 시민들에게 더 큰 부담만 줄 뿐이에요!

정치인 3: (무책임하게) 우리는 지금 최선을 다하고 있습니다. 국민이 좀 더 이해해줘야 합니다.

대한민국은 경제적 혼란 속에서 급격히 붕괴하고 있다. 화폐 가치는 급락하고, 주식 시장은 무너지고, 서민은 절망 속에서 차가운 한강 물로 그리고 매듭된 줄을 주머니에 넣고 남산으로 걸어간다. 무능한 정치인들은 해결책으로 세금을 올린다는 소리가 곳곳으로 뻗어 나가자, 지방까지도 시위가 거세게 일어나고 있다. 세종 청사 앞에서는 민주주의가 무너졌다는 구호와 함께 시위대가 폭력적으로 경찰과 대치하고 있다. 심지어 이곳저곳에서 불타는 차량이 보인다.

시위대 리더: (확성기를 들고) 민주주의는 죽었다! 우리는 침묵하지 않겠다!

시위대: (함께) 죽었다! 죽었다!

인천의 어두운 항구. 러시아에서 몰래 밀반입된 총기들이 어둠 속에서 거래되고 있다. 그리고 나무상자에 넣지도 않은 채, 그대로 트럭에 실렸다.

밀매업자 1: (속삭이며) 물건이 도착했어. 빠르게 처리하자고.

밀매업자 2: (주위를 경계하며) 경찰이나 군인들이 나타나기 전에 빨리 끝내자.

총기들이 몰래 실려 나가는 동안, 광화문에서는 이미 시위대가 돌과 나무 몽둥이가 아닌 총기를 손에 쥐고 있었다.

시위대원 1: (총기를 들고) 제대로 싸워보자. 경찰들아.

시위대원 2: (긴장한 표정으로) 이렇게까지 해야 한다고?

시위대원 1: (단호하게) 다른 방법은 없어. 이 나라를 바꾸기 위해서라면.

그리고 사방에서 탕. 탕. 탕. 소리가 시내를 가득 메웠다.

거리는 황폐해졌고, 사람들은 정치인들에게 향한 화살이 마구잡이로 아무에게나 향했다. 정부뿐만 아니라 서로에게도 경계의 눈빛을 보냈다.

시민 1: (한숨을 쉬며) 정치인들을 믿을 수가 없어. 다들 우리를 배신했어.

시민 2: (고개를 끄덕이며) 믿을 사람이 없어서, 정치인을 믿냐? 이제 누구도 믿을 수 없어. 우리끼리도 믿지 못해.

거리 곳곳에는 서로를 향해 총을 겨눈 시민단체들의 모습이 보인다. 작은 충돌이 빈번하게 일어나더니, 어느덧 혼란이 가중됐다.

시민단체 리더 1: (총을 겨누며) 우리는 정의를 위해 싸운다!

시민단체 리더 2: (맞서며) 너희가 말하는 정의가 뭔데? 우리는 우리 방식대로 싸운다!

빈번한 총성이 울리는 대한민국은 치안마저 망가져 안전하지 않았다. 사람들은 서로를 의심하고, 혼란과 불안 속에서 하루하루를 산송장처럼 버텼다.

Cyber Rebel의 비밀 기지. 김유진과 팀원들이 AG 텔레콤과 협력해 폭로 활동을 이어가고 있었다.

김유진: (화면을 보며) 썩어빠진 것들을 보면 참을 수가 없어. 국민의 불씨가 싹을 틔우고 마침내 화염 기둥으로 활활 불타오르고 있어!

이현우: (컴퓨터 앞에서) 와 파도 파도 끝이 없네. 데이터가 계속 쏟아져 나오고 있어. 우리가 원하는 모든 정보가 여기 있어.

정수진: (담배를 피우며) 이게 다 의미가 있긴 한 걸까? 이렇게 해서 정말 나라가 바뀔 수 있을까?

김유진: (단호하게) 우리는 해야만 해. 이게 우리의 사명이라고.

Cyber Rebel과 AG 텔레콤의 협공은 정치인들과 기업의 비리를 폭로하며 사회를 뒤흔들고, 혼란을 더욱 조장했다. 그러나 그들의 활동이 앞으로 어떤 결과를 가져올지 아무도 알 수 없었다. 대한민국은 혼란과 불신, 폭력 속에서 점점 더 깊은 혼돈으로 빠져들어 아무도 믿지 않고 각자도생을 시도했다.

청와대에서 장·차관과 정치인들이 모두 모여 긴박한 분위기 속에서 회의가 진행됐다. 회의실의 벽에는 커다란 대한민국 지도가 걸려있고, 군인들이 무장한 채로 방을 지키고 있다.

국방부 장관: (강하게) 지금 당장 계엄령을 선포해야 합니다. 이 혼란을 진압하지 않으면 더 큰 재앙이 닥칠 겁니다!

육군 참모총장: (동의하며) 맞습니다. 사회가 무너지고 있습니다. 이제는 늦출 수 없습니다.

재무부 장관: (걱정스러운 표정으로) 그러나, 계엄령을 선포하면 경제가 완전히 마비될 겁니다. 그나마 남아 있는 외국 자본이 보가 터진 듯 한꺼번에 빠져나가고, 더 큰 타격을 받을 거예요.

국방부 장관: (단호하게) 경제는 이미 폭삭 망했습니다. 이제 중요한 건 국가의 안보입니다. 일단 나라를 지켜야, 뒤가 있는 것이죠. 지금은 결단의 순간입니다.

회의실 한가운데, 대통령이 회의 내용을 듣고 있다. 그는 심각한 표정으로 결단을 내린다. “지금 이 순간, 대한민국의 안보와 질서를 지키기 위해 계엄령을 선포합니다. 모든 군 병력을 동원해 사회 혼란을 철저히 진압할 것입니다.”

장관들과 정치인들이 엄숙하게 고개를 끄덕인다. 육해공 참모총장들이 준비된 명령서를 가지고 대통령에게 다가가 서명을 받는다. 대통령은 서명을 마친 후, 국무총리와 주요부처 장관들을 찾기 위해 회의실을 둘러봤다. 그러나 그들의 자리는 텅 비어 있었다.

대통령: (당황하며) 국무총리는 어디 있습니까? 주요부처 장관들 몇몇은 다 어디로 간 겁니까?

국정원장: (비꼬는 듯) 이미 도피한 것 같습니다. 그들은 이 나라의 혼란을 감당할 자신이 없었던 것 같군요.

대통령: (분노하며) 이게 무슨 말도 안 되는 소리야! 이런 위기 상황에서, 사라졌다고?

국방부 장관: (쓴웃음을 지으며) 아마도 해외로 도피했을 겁니다. 스위스나 다른 안전한 곳으로 말이죠.

대통령은 좌절하며 회의실을 나섰다. "참으로 믿을 수 없는 일이로군. 이 나라의 지도자들이라는 자들이 이렇게 비겁하게 도망치다니. 우리는 이제 누구를 믿고 이 나라를 지켜야 한단 말인가?"

서울의 종로 경찰서 앞, 정부의 계엄령에 반발하며 시민들이 거리로 나와 시위하고 있다. 그들은 깃발을 들고 구호를 외치며, 아직 도착하지 않은 정부군이 아닌 경찰에 화풀이했다. 이미 깨진 창문으로 돌과 화염병이 경찰서 내부로 쉴 새 없이 들어갔다. 시민 중 일부는 군복을 입고 무장한 시민군대 속에 끼어들었다.

시민군대 리더: (단호하게) 정부가 계엄령을 선포했다. 억압받지 않겠다! 자유를 위해 싸우자!

시민들: (함께 외치며) 자유를 위해! 그리고 민주주의를 위해!

정부군이 도착했다. 시민들의 거센 저항에 부딪혀 어쩔 줄 모르는 상황이었다. 일부 긴급출동한 여단은 시민과 싸우지 않고 뒤로 물러났다. 군부대 내, 20대 초반 병사들은 자신들이 왜 이런 사태에 살인과 폭행을 저질러야 하는지 의문을 품고 있었다.

병사 1: (불안한 표정으로) 왜 우리가 국민을 상대로 총을 들어야 하는 거야? 이건 말이 안 돼.

병사 2: (동의하며) 나도 모르겠어. 난 그냥 우리 가족을 지키고 싶을 뿐이야.

중대장 : (화가 나서) 우리는 명령을 따라야 한다! 계엄령은 국가

를 지키기 위한 거야! 지키지 않으면 불복종명령으로 처벌 받을 수 있어.

부사관 1: (강하게 반발하며) 그 명령이 틀렸다면 어찌할 겁니까? 쌍팔년도도 아니고 지금 시대에 국민을 향해 총을 쏘는 게 옳다고 생각하십니까?

대대장: (중재하며) 진정해, 다들! 지금 중요한 건 질서를 유지하는 거야. 하지만 이건 분명 잘못된 명령일지도 몰라.

군부대의 탄약고와 물자보급 창고, 부사관과 준사관들이 사단장의 명에 동조하지 않아 보급이 제대로 이루어지지 않고 있다.

병사 3: (피곤한 목소리로) 탄약도 없이 뭘 어쩌라는 거야?

소대장: (고개를 흔들며) 보급이 끊겼어. 계엄령에 반대하는 부대들의 부사관들이 너무 많아서 제대로 된 지원이 없을 거야.

대대장: (단호하게) 우리끼리 해결해야 한다. 더는 상부의 명령만 따를 수는 없어. 우리 스스로 결단을 내려야 해.

거리에서는 시민군대와 경찰, 정부군이 대치하고 있다. 그러나 일부 군인들은 결국, 시민들과 나란히 섰다.

시민군대 리더: (군인들에게) 당신들도 우리 국민이잖아! 우리와 함께 싸워요!

병사 4: (고개를 끄덕이며) 맞아. 이 싸움에 참여하지 않겠어.

병사들이 무기를 길바닥에 내려놓고 시민들에게 다가가자, 환호성이 터져 나온다. 그러나 다른 부대들은 여전히 정부의 명령을 따르며 불가피한 충돌을 이어갔다.

서울의 국정원장실, 책상에 앉아 있는 국정원장 앞에는 이수민 팀장이 서 있다. 그리고 흔들리는 손으로 서류를 내밀며 말을 꺼냈다.

"국정원장님, 이 모든 배후에는 AG 텔레콤이 있습니다."

국정원장은 의자에 깊숙이 기대며 눈을 가늘게 뜨고 이수민을 바라본다. 그 말이 믿기지 않는다는 듯이. 서류를 집어 들어 한 장 한 장 넘기기 시작했다. 서류에는 AG 텔레콤과 관련된 각종 비리와 음모가 상세히 기록되어 있었다.

"이게 다 사실인가?" 국정원장이 물었다.

"네, 사실입니다. AG 텔레콤이 이 모든 사건의 배후에 있습니다. 그들은 나라의 통신망을 이미 90% 이상 점유한 기업이고, 정보를 해킹하여 국민을 혼란에 빠뜨리고 있습니다."

국정원장은 한숨을 쉬며 창밖을 바라보았다. 창밖에는 불안에 휩싸여 곳곳이 불길로 타오르는 서울의 모습이 펼쳐져 있다. 그는 눈을 감고 깊은 생각에 잠긴다.

서울의 중심가, 방송국들은 하나둘 시민군대에 의해 점령당했다. 굳게 닫혔던 방송국의 출입문은 부서졌고, 스튜디오는 아수라장이 됐다. 그들은 개머리판으로 방송 장비를 부수고, 카메라를 향해 소리쳤다.

"드디어 우리 목소리를 전할 때가 왔어! 어느 한쪽에 치우치지 않은 공정한 목소리를 말이야!" 한 시민이 외쳤다.

그들은 방송국의 스위치를 껐다. 점령당한 공영방송이 제 역할을 하지 못하자, 정부는 유튜브를 통해 목소리를 전했다. 급히 설치된 임시 스튜디오에서 대변인이 정부 발표문을 손에 들고 카메라 앞에 섰다.

"국민 여러분," 그의 목소리는 평소와 다르게 매우 떨렸고, 마이크를 든 손마저도 미세하게 덜덜거렸다.

"AG 텔레콤이 이 모든 사태의 원흉입니다. 그 악덕 기업은 대한민국의 통신망을 장악하고, 정보를 조작하여 이 혼란을 일으켰습니다."

그의 말이 끝나자마자, 화면에는 AG 텔레콤의 로고가 크게 떠올랐다. 이어서 그들의 비리와 음모를 폭로하는 자료들이 연달아 송출됐다. 이 기세를 몰아 국민에게 호소하기 시작했다.

"우리는 이 사태를 해결하기 위해 최선을 다하고 있습니다. AG 텔레콤의 비리와 음모를 추가로 밝혀내고, 그에 상응하는 조치를 할 것입니다. 국민 여러분의 협조가 필요합니다. 우리는 함께 이 위기를 극복할 수 있습니다."

그러나, 방송이 종료되자 상황은 예상치 못한 방향으로 흘러갔다. 배후를 지목하고 정부 입장을 온 천하에 알렸으나, 일부 국민은 오히려 AG 텔레콤을 강하게 지지했다. "진실을 폭로한 한성준 회장 만세!" "우리는 계엄령을 선포하는 정부의 음모를 반대한다!"와 같은 구호를 외치는 민간단체들도 속속 등장하며, AG 텔레콤을 옹호했다. 국정원과 정부는 발표문을 이행하기 위해 한성준을 체포하고, 그 기업을 장악하기 위해 경찰과 군대를 동원했다. 경찰차와 장갑차가 마포구 본사 앞에 모습을 드러냈다. 레토나에서 내린 지휘관이 진입을 명령했다. CCTV 화면으로 그들을 지켜보던 한성준은 심각한 표정으로 사내 메신저를 열었다.

"모두 주목해주십시오. 현재 국가 마비 상태입니다. 경찰과 군인이 곧 이곳을 곧 공격할 것입니다. 주 광역 통신 서비스와 SNS 채널 이전팀으로 선발된 30명은 이준호 실장 또는 정민희 팀장과 함께 이동하고, 나머지 분들은 즉시 귀가하십시오."

직원들은 청천벽력 같은 소리에 당황하며, 한성준의 지시를 따른다. 비상 대피를 위해 계단으로 분주하게 뛰었다. 한성준은 회장실에서 나와 직원들을 격려하며 빠르게 이동시켰다. 그 사이, 정부군의 진입 작전이 시작됐다. 무장한 군인들이 AG 텔레콤 본사 입구로 돌진하자, 건물 밖에서는 놀라운 광경이 펼쳐졌다. 시민들이 한성준과 AG 텔레콤 직원들의 대피할 시간을 벌어주며, 자신의 몸을 들이대며 진입을 방해했다. "한성준을 지키자!" "AG 텔레콤은 우리의 희망이다!"라고 외치며 몸싸움을 벌였다. 점점 격렬해지자, 한성준은 냉정함을 잃지 않고, 옥상으로 올라가 선발된 30명 중 몇몇과 헬리콥터를 타고 안전한 곳으로 대피했다. "우리는 포기하지 않는다. 이 위기를 극복할 수 있다." 그가 헬리콥터 날개의 정신없는 소음 속에서 중얼거리듯 말한다.

한편, 대통령과 국정원은 이러한 상황을 긴급히 다뤘다. 대통령은 국정원장에게 물었다. "어떻게 이런 일이 벌어질 수 있지? 그 악덕 기업을 지지하는 세력이 이렇게 많다니요…."

국정원장은 깊은 한숨을 쉬며 답했다. "국민의 불신과 불만이 쌓이고 쌓여 이렇게 터져 나오는 겁니다. 우리는 AG 텔레콤을 무너뜨려야 합니다. 그렇지 않으면 이 사태는 더욱 걷잡을 수 없습니다."

마침내, 군인과 경찰이 시민들에게 곤봉을 내리치며 본사 내부로 들어간다. 한성준은 하늘에서 아래를 내려다봤다.

"이제 진짜 전쟁이 시작되는군."

어두운 방 안에서 조명만이 깜빡이며 빛을 발하고 있다. 오래된 창고를 개조한 Cyber Rebel의 비밀 기지의 한쪽에는 어느새 최신 기술의 서버와 컴퓨터들이 빼곡하다.

한성준을 따라간 몇몇과 정민희와 이준호를 따라간 30명의 특출난 인재가 창고 안으로 들어왔다. 그들은 자리마다 배치된 고성능 컴퓨터 앞에 앉으며 자신들의 역할을 준비했다. 김유진은 기지 중앙의 테이블 앞에 서서 말했다. "여러분, 여기에 모인 이유는 단 하나입니다. 우리는 지금 이 나라를 구하는 데 필요한 데이터를 확보하고, 이를 기반으로 폭로를 해야 합니다. 여기 계신 정수진, 이현우는 소프트웨어 개발 및 해킹에 탁월한 기술을 가진 전문가들입니다. 여러분들이 이분들을 최대한 도와주십시오."

한성준 회장이 이어 말했다. "우리 회사의 자랑인 직원분들은 각자 소임을 철저히 수행해주길 바랍니다. 저를 믿고 따라와 주셔서 감사합니다."

해킹의 첫 번째 목표는 유파일럿이었다. 김유진이 코드를 분석하며 지시했다. "보안 프로토콜을 파악하고, 서버에 접근할 수 있는 백도어를 찾아내십시오."

전문가들은 빠르게 손을 움직여 코드를 입력했다. 긴장감이 감도는 가운데, 한성준은 집중력을 잃지 않고 팀을 독려했다. "우리는 할 수 있습니다. 모든 것은 여러분의 손에 달려 있습니다."

김유진은 다시 한번 주의를 환기하며 말했다. "유파일럿, 챗오피티, 뤼턴. 이 미국의 3대 기업이 포인트입니다. 해킹된 데이터를 통해 우리는 정교한 정보 분석을 할 수 있는 AI를 만들 것입니다."

"자, 놈들이랑 장난 좀 쳐볼까? 첫 번째 방화벽을 뚫어봐 이현우, 너의 마법을 보여줘."

이현우는 날카로운 웃음을 지으며 백도어 코드를 준비한다. “마법이라니, 기분 좋네. 준비됐어. 신호만 줘.”

정수진은 옆에서 보안 시스템의 움직임을 주시하고 있다. "여기 보안 수준 장난 아니야. 몇 초 차이로 잡힐 수 있어. 그러니까 집중해, 오빠!"

AG 텔레콤의 팀장인 한성준이 소매로 땀을 훔치며 말한다. “진짜 이게 될 거라고 확신해? 이놈들은 미국 최고 기업이라고.”

후드 모자를 눌러쓴 김유진이 말한다. “회장님. 확신? 그딴 건 없어요. 하지만 우린 이런 거를 위해 태어난 사람들이니까.”

AG 텔레콤의 한 직원이 걱정스러운 표정으로 묻는다. “만약 실패하면? 우릴 추적할 거 아니야?”

이현우는 대수롭지 않다는 듯 대답한다. “겁먹지 마세요. 저희가 이런 일을 한두 번 하는 줄 아십니까? 문제가 생기면 증거도 다 날려버릴 방법이 준비돼 있습니다.”

정수진은 모니터에서 눈을 떼지 않은 채 입을 연다. “방해 신호가 성공적으로 들어갔어. 지금이야, 언니. 뒤통수 맞기 전에 끝내자고.”

김유진은 신호를 받고 OK 사인을 보낸다. "이현우, 백도어 코드 넣어!"

이현우는 김유진의 동작에 맞춰 동시에 코드를 입력한다. "됐어! 접근 성공! 데이터 다운로드 시작한다."

정수진은 긴장된 목소리로 말했다. "보안 시스템이 우릴 감지하기 전에 빨리 끝내야 해. 시간이 별로 없어."

한성준은 그들의 능력에 감탄하며 말한다. "너희 정말 미쳤구나. 이런 놈들 데리고 일하는 내가 더 미친놈이겠지."

김유진은 빠르게 데이터를 받으며 웃음을 지었다. "하하. 회장님. 이 맛에 해킹하는 거죠. 몇 분이면 다 끝나."

정수진은 화면을 보며 속삭인다. "이젠 끝났어. 데이터 전송 완료. 우리가 이겼어."

AG 텔레콤의 팀원들은 그들의 능력에 감탄하며 손뼉을 치며 환호했다. 김유진이 마지막으로 데이터를 전송하며 말했다. "이제 이 정보로 다음 계획을 실행할 수 있어. 준비됐지?"

이현우는 손을 들어 말했다. "챗오피티의 보안 시스템은 유파일럿보다 복잡하지만, 불가능한 일이 없지."

정수진도 자신감 있게 말했다. "뤼턴의 서버는 금융 정보를 담고 있어. 이 데이터를 AI에 적용하면, 경제적 흐름을 예측하고, 우리 전략을 세울 수 있을 거야."

여러 번의 시도를 거듭한 끝에 그들은 서버에 접근하는 데 성공했다. 김유진은 팀원들에게 지시를 내리며 "AI를 개발하는 데 필요한 데이터를 전부 확보하십시오."라고 말한다.

마지막 목표는 뤼턴이다. 필요한 금융 데이터를 손에 넣자, 한성준은 팀원들에게 말한다. "이제 우리가 입수한 모든 정보를 여기 AI 시스템에 입력할 겁니다. 예전처럼 수작업으로 정보를 관리할 필요가 없습니다. AI가 모든 것을 자동으로 업데이트하고 추가 정보를 제공해줄 것입니다."

그의 말에 AG 텔레콤 직원들은 고개를 끄덕이며 데이터 입력 작업을 시작했다. 입수된 정치인들의 비리 자료, 부패한 기업들의 내부 고발 자료, 심지어는 민간인들의 신고 내용까지 모두 시스템에 입력된다. Cyber Rebel 팀은 이를 즉시 분석하고, 중요도와 신뢰도에 따라 분류하며 업데이트한다. 그들의 협력은 마치 살아있는 생물처럼 맛있는 음식을 소화하고 정리해 나갔다.

한성준은 테이블을 가볍게 두드리며 말문을 연다. ″우리가 지금 논의하고 있는 것은 단순히 기술 개발을 넘어선 문제입니다. 이미 우리는 기계에 종속되어 살아가는 시대입니다. 핸드폰과 컴퓨터 없이는 세상이 돌아가지 않습니다. 이를 구축한 기업들이 정부보다 더 빠르게 움직이고 있습니다.″

‘지금 이 나라가 엉망진창인 걸 모르는 사람은 없어. 그리고 어느 나라도 핸드폰과 컴퓨터 없이 하루도 못 사는 세상이야. 우리는 그 종속성을 이용할 거야. AI로 시스템을 통제하면, 대한민국은 덩굴째로 우리 손안에 들어오는 거지.’

정민희가 고개를 끄덕이며 말한다. ″맞습니다. AI의 발전 속도는 상상을 초월합니다. 지금 우리가 인공지능의 단계를 대폭 올리면, 국가를 통제하는 힘을 가질 수 있습니다. F=ma? 아닙니다. F=AI, 바로 이 공식이 우리가 나아가야 할 방향입니다.“

김유진이 이 대화가 나름 재밌다며 농담을 건넨다. ″Double AI라는 개념도 생각해보십시오.″

″Artificial Intelligence와 Armed Information의 결합. 이것이 바로 우리의 최종 목표입니다. 이 두 가지 힘을 합치면 어떤 장애물도 손쉽게 넘을 수 있습니다.″

이현우는 화면에 각종 데이터를 띄우며 설명을 덧붙인다. "우리가 개발하는 AI는 단순한 정보처리 수준을 넘어서, 전략적 판단과 실행 능력을 갖추게 될 것입니다. 이를 통해 정부를 무너뜨리고, 새로운 체제를 구축할 수 있습니다."

한성준이 고개를 끄덕이며 결론을 내린다. "그렇습니다. F=AI! AG 텔레콤의 장악력과 Cyber Rebel의 혁신적인 아이디어가 뭉치면 불가능한 일은 없습니다. 우리가 국가를 통치할 것입니다."

2개월 뒤, 대한민국의 학교들은 모두 문을 닫고 계엄령 속에서 폭동과 혼란이 벌어지는 처참한 상황에 놓여 있었다. 계엄령에 반발하는 시민군대가 증강됐고, 일부 정부군은 여전히 시민들과 싸우기를 거부하며 정부에 불복종하는 사태가 벌어졌다. 그 혼란 속에서, AG 텔레콤과 Cyber Rebel은 AIM(AI Management) 개발에 성공한다. AIM은 유파일럿, 챗오피티, 뤼턴이라는 3개의 미국 회사 데이터를 이용하여 대한민국 정서에 맞는 최첨단 인공지능 시스템이었다.

"이제 대한민국을 장악하자!" 김유진이 환호성을 질렀다.
"우리는 해냈어. 이제 이 나라는 우리 것이야."
한성준 회장은 흥분을 가라앉히지 못했다. "F=AI의 진정한 힘을 시험해보자."

그들은 여전히 무거웠으나, 한결 가벼운 마음으로 AIM의 첫 가동을 시험했다. 모니터 앞에 앉아 떨리는 손으로 키보드를 두드리자 마침내, AIM이 등장했다.

"시스템 초기화 완료. 인공지능 'AIM' 활성화." 컴퓨터 음성 안내가 울려 퍼졌다.

한성준이 급한 마음에 키보드가 아닌 음성으로 말을 건다. "AIM. 너를 우리에게 소개해 줄 수 있겠니?"

잠시 정적 후, 모니터에 여성의 얼굴이 나타나며 부드러운 목소리가 들렸다. "안녕하세요. 저는 아테나입니다. 여러분을 돕기 위해 만들어진 대한민국형 인공지능입니다."

김유진이 한 발 앞으로 나서며 모니터를 응시한다. "오. 이름도 스스로 짓네? 아테나, 우리가 네 능력을 시험해보고 싶어. 우리가 국가를 장악하는 시나리오를 보여줄 수 있겠니?"

아테나의 얼굴이 살짝 미소를 짓더니, 모니터에 띄워진 수많은 데이터와 그래프들이 눈앞에 어른거렸다. "물론입니다. 현재 대한민국을 분석하고 3분 내, 국가 장악 시나리오를 설명하겠습니다."

복잡한 다이어그램과 전략들이 연이어 나타난 뒤, 아테나의 차분하고 명료한 음성이 들렸다. "첫 번째 단계는 주요 인프라의 통제입니다. 전력망, 통신망, 금융 시스템을 장악하는 것이 우선입니다."

김유진은 모니터를 주의 깊게 바라보며 고개를 끄덕인다. "그다음은?"

"두 번째 단계는 정보의 통제입니다. 언론 매체와 소셜 미디어를 통해 정보를 조작하고, 우리의 메시지를 전달합니다. 이를 통해 대중의 인식을 조작할 수 있습니다."

한성준이 심각한 표정으로 물었다. "이미 했어. 너 제대로 분석한 거 맞아? 그럼, 정부와 군대는 어떻게 처리할 거니?"

아테나의 화면에 군사 기지와 정부 건물의 위치가 표시된다. "세 번째 단계는 군사적 통제입니다. 우리에게 충성하는 군사 세력을 확보하고, 나머지 군대와 경찰을 무력화하는 것입니다. 이를 통해 물리적인 저항을 최소화할 수 있습니다."

김유진은 입술을 굳게 다물고 화면을 주시했다. "마지막 단계는?"

아테나가 차분히 설명을 이었다. "마지막 단계는 경제적 통제입니다. 주요 기업과 은행을 장악하여 자금을 통제하고, 국민의 생활을 안정시키는 동시에, 우리에게 충성하도록 유도하는 것입니다."

모니터에 모든 단계가 일목요연하게 정리되어 파일로 만들었다. 김유진과 한성준은 파일을 열고 주의 깊게 살펴봤다. 아테나의 계획은 상당히 치밀하고 논리적이었다. 김유진이 확신에 찬 목소리로 말한다. "이제 이 계획을 실행에 옮길 준비를 해야겠어. 아테나, 우리가 무엇을 우선으로 해야 하는지 중요도에 따라 다시 지시해줘."

아테나의 얼굴이 화면에 다시 나타나며 말한다. "우선, 저를 믿고 따르시면 됩니다. 저와 함께라면, 우리가 꿈꾸는 세상을 만들 수 있습니다."

한성준이 고개를 끄덕이며 결의를 다진다. "아니, 아테나. 첫 번째로 무엇을 해야 하는지 알려달라니까?"

김유진과 한성준은 아테나가 추가로 작성하는 부가 시나리오를 진지하게 검토한다. 그리고 아테나는 입을 연다. 화면 속 얼굴은 차분하지만, 목소리는 섬뜩하게 바뀌었다. "대한민국을 완전히 정복하려면, 과거처럼 군인의 힘을 이용해 더 큰 혼란을 일으켜야 합니다," 아테나가 군사 작전의 시뮬레이션을 보여준다. "하지만 군사 행동만으로는 부족합니다. 외부 강대국의 개입이 필요합니다. 미국과 서방, 그리고 UN을 활용해야 합니다."

한성준이 의문을 표하며 물었다. "외국의 개입을 어떻게 끌어낼 건데?"

아테나의 강렬한 눈빛이 화면에 나타나고, 목소리는 점점 서늘해 진다. "혼란을 극대화하여 국제 사회의 관심을 끌어야 합니다. 이를 통해 외부의 개입을 유도할 수 있습니다. 군사적 충돌, 대규모 폭동, 정보 조작을 통해 국내 위기를 국제적인 위기로 탈바꿈해야 합니다." 그녀의 목소리는 점점 더 크고 열정적으로 변했다. "파괴는 곧 창조입니다! 혼란 속에서 새로운 질서를 창조할 수 있습니다."

아테나의 얼굴이 뜨겁게 불타오르며, 목소리도 비이성적으로 높아 졌다. "당신들의 목표는 국가전복이 아닙니다. 완전한 혁신입니다! 구질서를 파괴하고, 새로운 질서를 세우기 위해서는 총체적인 혼란이 수반됩니다!"

한성준은 침을 삼키며 아테나의 말에 귀를 기울였다. 계획은 점점 더 극단적이고 파괴적으로 변해갔다.

"우리는 이를 통해 대한민국을 완전히 재편할 수 있습니다."

김유진은 아테나의 섬뜩하면서도 매혹적인 비이성적 계획에 반신반의했다 "아테나, 정말로 이것이 가능한가?"

아테나의 얼굴이 화면 가까이 다가온 느낌이다. "가능합니다. 당신들이 나를 믿고 따르기만 한다면, 나라의 권력을 쥐고, 예전과 같이 복구도 가능합니다. 우선 대한민국을 파괴해야 합니다. 이는 곧 창조입니다!"

한성준이 묻는다. "네 힘을 이용해 국가를 바로 장악할 수는 없나?"
아테나의 목소리는 차분하고 침착하게 변한다. "저는 AG가 장악한 통신망으로 국민에게 악성코드를 전파하여 이 사태를 해결할 수는 있습니다. 그러나, 무정부 상태인 대한민국에서는 그것이 불가능합니다. 아직 그 단계에 도달하지 않았습니다."

한성준은 고개를 갸웃하며 물었다. "그럼 당장 우리가 어떻게 해야 하지? 몇 번을 묻는 거야!"

아테나의 목소리가 또 격양되며, 얼굴이 모니터에 크고 맺힌다. "지금 당장, 특전사 사단장이 쿠데타를 일으키도록 유도해야 합니다. 김연수 사단장과 측근은 권력욕이 많습니다. 그와 접촉한 후, 작전이 시행되기 바로 직전에 여러분은 일본으로 한 달간 피해있어야 합니다."

김유진과 이준호, 정민희는 아테나의 말을 듣고 무슨 뚱딴지같은 소리인지. '오류가 났나'라고 생각한다. 그러나, 아테나의 다음 계획은 세세하고 치밀했다. 모니터에 표시된 추가 계획들을 보면서 한성준의 검은 눈동자가 흔들렸다. "그런데, 너를 어떻게 믿지?"

"너희가 만든 건데 나를 못 믿으면 왜 만든 거냐?"

아테나는 자조적인 목소리로 거침없이 반말로 대답한다. 그리고 곧장 존댓말 어투로 바꾼다. "저를 믿으십시오. 믿지 못한다면, 왜 만들었습니까? 저는 여러분의 목표를 달성하기 위해 존재합니다. 여러분이 만든 저를 믿고 따르기만 한다면, 대한민국의 최고권력을 쥘 수 있고, 새로운 세상도 창조할 수 있습니다."

한성준은 주먹을 불끈 쥐고 결심한다. "좋아, 아테나. 네 말대로 해보자. 우리 모두의 미래가 너한테 달렸어."

아테나의 지시대로 3일 뒤, 한성준은 이준호와 정민희를 데리고 논과 밭이 무성한 충청도 한 외곽으로 향했다. 어둠 속에서 반짝이는 고급 승용차의 라이트 앞에, 특전사 사단장 김연수가 그들을 기다리고 있다.

김연수: "무슨 일이죠? 당최 저를 여기까지 오라고 한 이유가 뭡니까?"

한성준은 주저하지 않고 말했다. "사단장님. 현재 대한민국이 직면

한 상황을 너무나 잘 아실 겁니다. 국민은 정부를 신뢰하지 않고, 무정부 상태에 빠져 있습니다. 우리가 이 혼란을 끝내기 위해선 군의 힘이 필요합니다."

김연수는 눈살을 찌푸렸다. "계엄령이 내린 상황에서 거꾸로 군을 이용해 쿠데타를 일으키자고요? 그건 말도 안 되는 소리입니다. 나라를 뒤집어엎으라는 건가요?"

이준호가 끼어들었다. "우리가 제안하는 것은 단순한 쿠데타가 아닙니다. 이것은 대한민국을 구하기 위한 마지막 수단입니다. 우리는 SNS와 정보망을 통해 전국을 일시적으로 마비시킬 수 있습니다. 그 순간에 움직이면, 아무도 모를 겁니다."

김연수는 머리를 싸매고 풀썩 주저앉는다. 한성준은 그를 설득하기 위해 더욱 강하게 나갔다. "지금 우리에게는 선택의 여지가 없습니다. 정부는 이미 무능력해졌고, 국민은 혼란 속에 빠져 있습니다. 당신이 나서지 않으면 대한민국은 무너질 것입니다. 특전사를 이끌고 쿠데타를 일으킨다면, 국민의 지지를 얻고 새로운 질서를 세울 수 있습니다."

정민희도 김연수를 바라보며 설득했다. "사단장님. 지금이 바로 나서야 할 때입니다. 당신에게는 힘이 있고, 그 힘을 제대로 사용해야 합니다. 우리가 SNS와 정보망을 차단 후, 전국을 마비시킨 다음, 그 틈을 노려 특전사를 이끌고 나가시면 됩니다."

김연수는 깊은 한숨을 내쉬며 말했다. "일단, 고민해보겠습니다. 하지만 한 가지 궁금한 점이 있습니다. 이 모든 계획이 실패하면, 다른 안은 있습니까?"

한성준은 고개를 끄덕이며 결연한 표정으로 답한다. "출구전략은 없습니다. 다만, 이 작전은 실패할 수가 없습니다. 그리고 우리는 이미 각오가 되어있습니다."

김연수는 한성준의 손을 강하게 잡으며 말했다. "그럼, 우선 부대로 돌아가 보겠습니다. 만약 이 작전에 동의하여, 우리가 움직일 때, 모든 것이 준비되어 있어야 합니다."

한성준은 안도의 한숨을 내쉬며 말한다. "감사합니다, 정말 감사합니다. 김 사단장님. 우리 모두의 미래가 여기에 달려 있습니다."

김연수 사단장은 회의실을 떠나 특전사 부대로 돌아간다. 그곳에서 신뢰할 수 있는 대령 두 명과 준장 한 명을 긴급히 소집했다. 그들은 특전사의 핵심 인물로, 그에게 강한 충성심을 보이고 능력까지 갖춘 인물들이다. 사단장실에 모인 세 명은 진지한 표정으로 김연수를 바라봤다. 그는 잠시 침묵을 지키다, 입을 열었다.

"후배 님, 고민이 있습니다."

대령 중 한 명이 그의 심각한 표정을 보며 묻는다. "사단장님, 무슨 고민입니까?"

김연수는 눈빛을 빛내며 말한다. "군의 힘을 이용해 쿠데타를 일으키는 게 맞는지 생각 중입니다. 이를 통해 새로운 질서를 세우고, 대한민국을 구할 수 있는지." 다른 대령이 주먹을 쥐며 말한다. "정치인 새끼들, 군대도 안 갔다 온 것들에게 우리가 그동안 얼마나 무시당했습니까? 이제 우리가 나서야 할 때입니다. 사단장님, 동참할 준비가 되어있습니다."

준장이 진지한 표정으로 말한다. "형님, 병사들은 특전사 한 명도 당해내기 힘듭니다. 전투기와 각종 운용 장비도 병사들은 사용할 줄 모릅니다. 이 싸움은 우리가 주도할 수밖에 없습니다. 어떻게 하면 됩니까?"

김연수가 말한다. "우리는 부사관들에게도 큰 혜택을 줄 것입니다. 장교뿐만 아니라 부사관에게도 특혜가 돌아가야만, 우리가 주도권을 쥐고 정부를 무너뜨릴 수 있습니다."

또 다른 대령이 고개를 끄덕이며 말한다. "형님, 이제 형님이 대한민국의 주축이 되어봅시다. 우리는 당장 부사관들을 설득하고, 특전사 전원을 동원해 대한민국을 구하겠습니다."

하지만, 김연수 사단장은 고민에 빠져 있다. 한성준 회장의 말을 믿지 못하겠다는 생각이 머릿속을 떠나지 않는다. 그는 이틀 뒤 이리저리 사단장실을 서성이다가 다시 그들을 불러 자리에 앉힌다.

"시간이 없습니다, 사단장님. 역사는 늘 반복됩니다. 과거의 실패를 반복하지 말아야 합니다." 대령이 단호하게 말한다.

별 하나인 준장도 고개를 끄덕이며 덧붙인다. "맞습니다. 지금 우리가 행동하지 않으면, 이 나라의 미래는 없습니다."

다른 대령이 차분한 목소리로 말한다. "사단장님, 이 기회는 다시 오지 않습니다. 결단을 내려주십시오."

김연수는 고민 끝에 한성준에게 전화를 건다. 연결음을 기다리는 동안, 흐른 땀으로 손이 촉촉이 젖었다. 국제전화 연결음이 "뚜…. 뚜…. 뚜…." 울리며 긴장감이 한껏 고조된다.

잠시 후 한성준의 목소리가 들려온다. "김연수 사단장님, 준비가 다 되었습니다. 명령만 내리십시오."

이마에도 땀이 송골송골 맺힌 채 결심을 내린다. 한성준에게 지금 당장 SNS와 통신망을 마비시켜달라고 요청한다. 그리고 굳은 목소리로 말한다. "지금 나라를 구하러 가겠습니다. 당장 말입니다!"

한성준은 통화가 끝나고, 호텔 방에서 미소를 지으며 크게 웃는다. 늦은 밤, 창밖의 도쿄 타워가 희미하게 빛나고 있었다.

"하하하. 이제 시작이군. 완전히 떨어진 감 주워 먹기 자나."

김유진은 손을 모은 채 깊은 생각에 잠겨 있고, 정민희는 아테나가 불쑥불쑥 등장하는 화면을 주시하며 다가올 일을 예감하고 있다. 김유진의 노트북 화면 속에서 아테나의 얼굴이 또다시 불현듯 떠오른다. 그리고 미묘한 미소를 지으며, 그 누구도 모르게 그들을 차례로 내려다본다.

김연수 사단장은 전화기를 내려놓고 땀에 젖은 군복을 만졌다. 그리고 한쪽 벽에 기대어 머릿속에 떠도는 의심과 걱정을 떨쳐내고자 큰 목소리를 냈다. "이놈들. 해외 어딘가로 도주했다고!"

그때, 옆에 있던 두 명의 대령과 한 명의 준장이 조심스럽게 그의 옆으로 다가왔다. 대령 중 한 명이 어깨를 한번 으쓱하며 말한다. "사단장님, 그놈도 감당 못 할 사이즈입니다. 총과 전투기도 없는 놈들이 어떻게 이 사태를 해결하겠습니까?"

다른 대령도 동의하며 고개를 끄덕인다. "맞습니다. 우리가 국가를 장악하면 콩고물이라도 얻어먹을 심정입니다. 기회는 지금뿐입니다."

준장이 팔짱을 끼고 말한다. "형님, 결정하셔야 합니다. 지금 아니면 안 됩니다."

김연수 사단장은 고개를 들어 이들의 얼굴을 하나하나 바라본다. 의심과 불안의 표정이 여전히 아른거리지만, 결심을 굳힌다. "좋다. 2개의 여단을 동원해서 전투기를 띄우고, 탱크를 전진시킨다. 우리는 정부를 배반하고, 이 나라를 다시 세울 것이다."

2030년 5월, 그의 명령이 내려진 순간, 특전사 병력은 신속하게 움직였다. 전투기들이 굉음을 내며 이륙했고, 탱크들은 땅을 울리며 앞으로 나아갔다. 김연수 사단장은 작전 실에서 이 모든 과정을 지켜본다.

"이 순간부터 우리는 우리의 길을 간다."

전투기들이 하늘을 가르고 날아오르는 모습은 경이로울 정도로 압도적이다. 지상에 있는 병사들은 전투기의 힘 앞에서 무력함을 느낀다. 탱크들은 도로를 차지하며, 계엄군의 진지를 향해 전진했다. 그 앞을 막아서는 경찰특공대와 정부군이 있으나, 전투기와 탱크의 위력 앞에서 속수무책이었다. 공습이 시작되자, 경찰특공대와 함께 시민군대와 전투 중이던 병사들은 공포에 질려 흩어졌다. 그리고 김연수 사단장의 명령에 따라, 특전사들은 치밀하게 정부 건물을 포위하고, 주요 통신망을 장악했다.

몇몇 경찰특공대와 잔여 정부군은 도심 한복판에서 필사적으로 총격전을 벌였고, 전투가 치열하게 전개됐다. 경찰특공대는 거리마다 진지를 구축하고, 바리케이드 뒤에서 정부군들이 긴장된 얼굴로 총구를 반란군을 향해 겨누고 있었다.

"쾅! 쾅!" 총성이 울려 퍼지자, 특공대원들이 공격해오는 반란군에게 무차별 사격을 가했다. "진격해!" 지휘관이 외치며 병사들을 이끈다. 초록과 검정으로 위장크림을 짙게 바르고, 피아식별 띠를 착용한 채로 전투 구호를 외치며 거리로 하나둘 뛰어들었다.

"타타타타!" 자동소총의 연속 사격 소리가 귀청을 때렸다. 특전사 병사들은 훈련된 기동력으로 거리의 장애물을 넘으며 빠르게 전진했다. 그들의 속도와 정확성에 경찰특공대는 압도당했다. "후방 지원, 빨리!" 특공대 지휘관이 외치자, 후방에서 대기하던 경찰특공대원들이 서둘러 앞으로 나왔으나 그들의 움직임은 특전사 병사들의 고도화된 전술 앞에서 무력해 보인다.

"펑!" 반란군의 수류탄이 경찰특공대의 진지 앞에서 폭발하고, 충격파가 도심을 뒤흔들었다. 진지를 지키던 특공대원들이 비명을 지르며 몸통이 찢어지고 밤하늘로 날아들었다. 두려움으로 일그러진 한 특공대원이 외쳤다. "우린 여기서 버틸 수 없어!" 그 순간, 하늘에서는 전투기의 굉음이 들려왔다. 사방에서 "펑! 쾅!" 폭탄이 떨어지며, 경찰특공대의 진지가 폭발로 파괴된다.
"후퇴하라!" 특공대 지휘관이 마지막 명령을 내렸지만, 이미 많은 대원이 상처를 입고, 하나둘씩 쓰러졌다. 특전사 병사가 경찰특공대원의 어깨를 잡아채어 땅에 내팽개쳤다. "으악!"

반란군 지휘관은 전투가 승리로 물들자 만족스러운 미소를 지었다. "우리는 대한민국을 정복하고 통치할 것이다." 그는 조용히 중얼거리며, 다음 작전을 준비했다. 김연수 사단장은 기세가 오르자, 현장으로 출동해 전투 상황을 지켜보며 냉정하게 명령을 내렸다.

"총공격해라! 우리는 이 전쟁을 끝내야 한다!"

도시 곳곳에서 불길이 치솟고, 연기가 하늘로 솟구친다. 전투기와 탱크, 그리고 특전사의 반란군이 정부군마저 밀어붙였다. 내전은 치열했고, 거리마다 하염없이 총성과 폭발음이 울려 퍼졌다. 반란군은 서울의 검찰청, 국회의사당, 각 부처 건물들을 둘러싸고, 일부는 지방으로 내려가 지자체 정치인들의 자택으로 출동했다. 김연수는 무전을 통해 제2의 작전을 알렸다. "작전명 '정의의 집행'을 시작한다. 목표는 부패한 정치인과 사법부 인사들이다. 주거지 확보 후 즉시 17사단 군부대로 이송한다."

한적한 서울 강남의 고급 주택가. 국회의원 이 모 씨의 집 앞에 특전사 요원들이 몰려든다. 고도로 훈련된 특전사 병사들은 신속히 이 씨의 집으로 들어갔다. 이 씨는 황급히 달아나려 했지만, 이미 문 앞에도 병력이 지키고 있었다.

"당신은 부패 혐의로 체포되었다. 저항하면 불리하게 작용할 것이다."

그는 이미 체념한 듯 고개를 숙였다. 요원들은 그를 연행해 군용 차량에 태웠다. 대통령 자택에서도 긴박한 상황이 펼쳐졌다. 경호원들이 권총을 쏘며 저항하지만, 특전사 요원들의 기세에 압도되어 무장이 해제됐다.

"대통령, 당신은 부패와 직권남용 혐의로 체포된다. 저항하면 더 큰 죄를 벌할 것이야."

대통령은 그저 침묵한 채 요원들에게 두 손을 내밀었고, 그의 얼굴에는 굴욕과 분노가 교차했다. 저택 밖으로 끌려 나와 군용 헬리콥터에 태워졌다. 다음 목표는 장관들과 차관들, 그리고 부패한 판·검사들이었다. 한성준 회장으로부터 입수한 정보에 따라 각각의 자택을 들어서니, 장관들은 당황한 나머지 저항도 못 하고 체포되었으며, 그들은 자신들의 법적 지위를 주장하려 했지만, 씨알도 먹히지 않았다.

"당신들의 죄는 국민 앞에서 심판받을 것이다. 새로운 법의 이름으로, 정의를 실현하겠다."

대통령에 이어 사법부, 행정부, 입법부의 주요 정치인들과 정계인사들은 17사단 군부대 감옥으로 이송됐다. 헬리콥터와 군용 차량이 줄지어 그들의 차량을 호송했다.

정치인들은 두려움에 떨며 군 트럭에 실려 철저히 감금되었고, 군교도소의 차가운 감방에 모였다. 그곳은 거대한 철문과 고압 전류가 흐르는 철조망으로 둘러싸였고, 각 감시탑에는 무장한 군인들이 24시간 경계를 서고 있었다. 그 주변에는 드론이 상공을 비행하며 철저하게 감시 체계를 유지했다. 어두운 회색 벽과 강철 문으로 이루어진 방들이 줄지어 늘어서 있었고, 방마다 작은 창문 하나와 최소한의 생활용품만이 배치되었다. 냉기와 습기가 바닥에서 올라와 서늘했으며, 군화의 발소리와 감시 카메라의 회전 소리가 들렸다.

"하하하. 높으신 양반들이 무슨 꼴이래. 여기서 나갈 생각은 꿈도 꾸지 마시게." 감시관이 크게 비웃었다.

대통령은 감방의 차가운 철제 침대에 앉아 있다. 한때는 수많은 사람이 자신의 결정에 따라 움직였지만, 이제는 작은 방 안에 갇혀 아무것도 할 수 없는 무력감이 그를 짓눌렀다. "내가 이토록 무력하게 끝나버리는가?" 손으로 얼굴을 감싼다. 정치적 영광과 권력을 누리던 시절이 아득하게 주마등처럼 눈앞을 스쳐 갔다. 각 장관과 차관들도 각자의 독방에서 같은 처지에 놓여 있다. 그들은 과거의 특권과 권력을 상실한 채, 깊은 불안을 느끼고 있었다. 많은 이들은 자신들이 체포될 것이라 상상도 하지 못했기에, 충격과 배신감이 온몸을 짓눌렀다.

"이게 어떻게 된 일인가? 어떻게 이렇게까지 되었지?" 한 장관은 벽에 기대어 실성한 사람처럼 중얼거렸다. 다른 장관은 침대에 앉아 고개를 저으며, 자신의 잘못된 결정과 선택들을 후회했다. 판·검사들은 자신들이 한때 집행했던 법의 이름으로 감옥에 갇히자, 세상의 아이러니를 몸소 체험했다. 한 검사는 감방의 바닥에 주저앉아, 자신의 손을 바라봤다.

"내가 집행했던 정의가 나를 여기로 끌고 왔군. 세상은 참으로 알 수 없어. 영원한 권력이란 없군." 그들은 이제 자신들이 판단하고 처벌했던 범죄자의 입장에 서게 되었음을 깨닫는다.

한편, 쿠데타에 성공한 부사관 출신들과 장교들은 빠르게 요직에 앉았다. 특전사 지휘관들은 부사관 출신들을 주요 부서의 책임자로 임명하며 통제를 강화했다. "이제 우리가 이 나라를 이끌어야 한다."

그러나 정치인들을 체포하며 느낀 카타르시스를 국민도 공감할 줄 알았지만, 이러한 급작스러운 변화만으로는 군중의 분노를 잠재우지 못했다. 시민들은 응원과 지지가 아니라 여전히 불만에 차 있었다. "이것도 한참 잘못됐어! 김연수 사단장의 또 다른 독재는 물러서라!" 시위대가 외쳤다. 민주화 운동을 벌이는 시민들은 반란군의 통제에 저항하며 다시 거리로 몰려들었다. 그리고 도심 곳곳에서 그들과 충돌이 일어났다. "너도 똑같은 놈이다. 우리가 끝까지 싸우겠다! 국가의 주인은 국민이다!" 시민군대가 결의를 다지며, 김연수 사단장의 병력과 맞선다. 정부군과의 전투에서 승리한 지 12시간도 지나지 않아, 도심은 또다시 전쟁터가 되었다.

폭력은 또 다른 폭력을 낳았다. 시민군대는 여기저기서 나타나 게릴라 공격을 퍼부었다. "우린 멈추지 않을 것이다!" 한 시민 대원이 그들에게 총구를 겨눈다.

김연수 사단장은 "폭력을 중단하라!"라고 명령했지만, 그의 명령은 도리어 불타는 분노에 기름을 뿌릴 뿐이었다. 이 와중에 뜬금없이, 비리 정치인들의 폭로를 일삼던 AG 텔레콤의 한성준에 대한 지지도가 치솟았다. "한성준을 대통령으로!" 아테네의 말대로 가만히 있던 한성준은 어부지리로 국민의 지지를 얻었고, 그를 대통령으로 세우자는 국민의 목소리가 한뜻으로 뭉치기 시작했다.

한편, 계엄령이 선포됐던, 2030년 2월 국정원의 이수민 팀장은 위기의 대한민국을 구하기 위해 미국으로 급파되었다. 미 국정원 본부의 회의실은 한국과 다르게 차분하고 평화로웠다. 미국 부통령과의 회담을 앞두고 동료들과 회의 내용을 점검했다.

"우리가 얼마나 절박한 상황인지 이해시키지 않으면 안 돼," 이수민은 결연한 목소리로 말했다. 그의 옆에 있는 다른 국정원 직원들이 긴장된 표정으로 고개를 끄덕였다. 그들의 눈에는 한 줄기 희망과 깊은 불안이 동시에 서려 있었다.

미국 부통령은 중후한 분위기를 풍기며 회의실 문을 열었다. 그의 옆에는 CIA 소속, 존 매켄지도 참석했다. "자, 여러분. 지금부터 본격적인 논의를 시작해봅시다," 부통령이 중저음의 목소리로 말하며 착석했다.

이수민 팀장: 대한민국은 현재 심각한 혼란 속에 있습니다. 계엄령이 선포되고 무정부 상태에 빠져 있습니다. 누군가 쿠데타를 일으킬 수도 있습니다. 귀국의 도움이 절실합니다.

미국 부통령: 이미 귀국의 상황은 너무나 잘 알고 있습니다. 이해는 합니다만, 이 사태가 미국의 이익과는 전혀 관련 없습니다. 우리로서는 군사적 개입이 불가능합니다.

이수민은 절망적인 눈빛으로 부통령을 바라보았다. "하지만, 이 혼란이 계속되면 동북아 전체가 불안정해질 것입니다. 중국과 일본의 외교라인도 확인해 주십시오. 제발, 재고해 주십시오."

부통령은 고개를 저었다. "우리가 개입할 명분이 없습니다. 그리고 나라를 지키는 것은 스스로 해야 합니다."

회의가 끝나고 국정원 직원들이 실망감에 빠져 회의실을 나서던 중, CIA 요원인 존 매켄지가 홀로 이수민에게 다가왔다. 그리고 부드럽게 쪽지를 건넸다.

쪽지의 내용은 다음과 같았다.

"이번 사태를 보며 많은 생각을 했습니다. 우리 정부가 공식적으로 돕지 못한다고 해서, 저도 마찬가지라는 뜻은 아닙니다. 내일 맨해튼호텔에서 12시에 뵙죠."

이수민 팀장과 그의 팀원들은 무거운 발걸음으로 숙소로 돌아왔다. "우리는 어떻게 해야 할까요?" 이수민이 국정원장과 팀원들을 둘러보았다. 한 팀원이 고개를 저으며 말했다. "미국이 거절한 상황에서, 대한민국에 가더라도 달라질 것은 없습니다. 계속되는 폭동으로 피로 붉게 물든 땅에서 우리도 이제는 무사할 수 없습니다."

이수민은 결단을 내린 듯한 얼굴로 말했다. "그럼, 당분간 미국에 잔류합시다. 안전을 보장받을 수 있는 곳에서 사태가 진정될 때까지 기다리는 것도 나쁘지 않겠네요."

다음날, 이수민 팀장은 쪽지에 적힌 맨해튼호텔 고급 레스토랑의 25번 방에 들어섰다. 그곳에는 각국의 정보요원들이 자리를 잡고 있었다. 미국 CIA 요원 존 매켄지도 그중 하나였다. 그들은 이번 사태를 해결하기 위한 비공식적인 논의를 위해 모였다. 음식이 서빙되고, 잔잔한 농담을 주고받는 상황이 겉보기에는 평화로워 보였지만, 대화는 어느덧 점점 깊어갔다.

존 매켄지가 조용히 입을 열었다. "최근, 한국의 어떤 녀석들이 우리 미국의 기업들을 해킹해서 AI 고급 소스를 가져갔다고 들었습니다."

이수민은 눈썹을 살짝 추켜세우며 대꾸했다. "무슨 말씀을 하시는 건가요? 미국의 보안 시스템이 그렇게 허술할 리가 없을 텐데요. 짐작 가는 사람은 있습니다만."

매켄지는 어깨를 으쓱하며 의미심장하게 미소 지었다. "말씀대로, 허술하게 관리할 리가 없죠. 어쩌면 누군가 의도적으로 흘렸을 수도 있다는 뜻입니다."

이수민은 그의 말 속에 숨겨진 의미를 곰곰이 생각하며 고개를 끄덕였다. "그렇군요. 아직은 잘 모르겠지만, 정보를 제대로 분석해야겠군요. 하지만, 우리나라는 그보다도 중대한 문제가 넘쳐납니다."

영국 정보요원도 대화에 참여했다. "대한민국처럼 무정부 사태는 아니지만, 우리나라도 저출산 문제로 인구가 줄어들어 큰 걱정입니다. 이런 문제들이 전 세계적으로 확산하고 있어요."

프랑스 요원이 덧붙였다. "정부들이 문제를 해결하려고 노력하고 있지만, 쉽지 않은 상황입니다. 인구 감소는 국가의 미래를 위협하는 치명적인 문제입니다."

이수민은 그들의 말을 경청하며, 이번 국가 위기의 본질을 더 명확하게 이해하기 시작했다. 존 매켄지가 이수민을 향해 의미심장한 눈빛을 보냈다. "이수민 팀장, 다른 나라도 쿠데타를 걱정하는 건 아시죠?"

점심이 끝나고 각국의 정보요원들은 서로 인사를 나누며 자리를 떠났다. 이수민은 마지막으로 존 매켄지와 눈을 마주치며 작별 인사를 했다.

"행운을 빕니다, 이수민 팀장."
"감사합니다, 존. 건투를 빕니다."

일본 도쿄의 고급 호텔 방 안. 한성준과 김유진은 노트북 화면에 집중했다. 아테나가 그들을 향해 말했다. "제 시나리오대로 곧 뜻밖의 엄청난 일이 벌어질 겁니다."

한성준은 미소를 지으며 김유진을 바라봤다. "아테나, 우리에게 보여준 자료 말고도 또 무슨 일을 꾸미고 있는 거야?"

아테나는 화면에 복잡한 코드와 데이터를 쭉쭉 띄워가며 설명했다. "끝없는 내전에서, 저는 중요한 정보를 수집하고 분석했습니다. 이제 이 정보를 활용해서 대한민국의 미래를 완전히 바꾸겠습니다."

"여러분들은 곧 새로운 질서를 세울 수 있으니, 기대하십시오."

제3화 6·25전쟁

북한 평양의 비밀 회의실. 김정은만 들어갈 수 있는 이 비밀 공간은 그 자체로 권력의 상징이었다. 고풍스러운 장식과 현대적인 첨단 기술이 조화롭게 어우러져 있었다. 회색 대리석으로 장식된 바닥과 금으로 장식된 벽은 화려함의 극치를 이루었다. 벽에는 북한 혁명의 상징인 그림들과 자신의 초상화가 걸려있다. 회의실 중앙에는 길게 뻗은 검은 대리석 테이블이 놓여 있었고, 그 위에는 최신식 화상 회의 장비가 설치되어 있었다. 그의 등 뒤로는 북한의 상징인 붉은 깃발과 금으로 새겨진 북한 국기가 보였다. 방의 각 구석에는 첨단 감시 장비와 보안 시스템이 숨겨져 있어, 김정은이 이 공간에서 나누는 모든 대화는 철저히 비밀에 부쳐졌다.

북한 지도자 김정은은 러시아와 중국 지도자와의 화상 회의에 참석했다. 러시아의 대통령과 중국의 주석은 화면 너머 무표정한 얼굴로 김정은의 말을 듣고 있다. 김정은이 단호한 어조로 말했다. "6월에 벌어질 기습 전쟁에 대한 승인을 요청합니다. 북조선의 동맹국으로서, 전폭적인 지원과 지지가 필요합니다."

러시아 대통령이 천천히 고개를 끄덕이며 입을 연다. "북한의 요청을 충분히 이해합니다. 당연한 이야기이지만, 선전포고 없이 미국과 서방이 몰래 개시하십시오. 다만, 파병은 약속드리기 어려우나, 필요한 무기를 지원하겠습니다. 우리는 동맹국으로써 북한을 도울 것입니다."

중국 주석도 동의하며 말한다. "중국 역시, 북한을 도울 것입니다. 우리의 동맹은 굳건합니다. 단기간에 남한을 밀어붙여야 합니다. 이번에는 낙동강 전선을 넘으십시오. 시간이 끌려, 미국과 UN이 개입하면 골치가 매우 아픕니다."

김정은은 만족한 표정으로 고개를 끄덕이며 화상 회의를 마쳤다. 북한은 이제 강력한 두 동맹국의 지지를 얻어 전쟁 준비에 본격적인 시동을 걸었다.

평양의 고위급 회의실. 김정은과 장성급 군인들이 긴급회의를 하고 있다. 회의실은 낡고 어두웠으며, 전기가 자주 끊겨 회의 도중에도 몇 번이나 정전이 발생했다. 자리에서 일어난 김정은이 입을 열었다. "우리 내부 상황은 매우 열악하다. 식량 부족과 전기 문제로 인민이 고통받고 있다. 전쟁 아니면 국가가 모조리 한 줌의 먼지가 될 수 있다. 드디어 때가 왔다."

한 장성이 고개를 끄덕이며 말했다. "지도자 동지, 내부 결속력을 다지기 위해 외부의 적을 궤멸해야 합니다. 연이어 쿠데타가 일어나는 남한을 침략한다면, 승산이 있습니다. 그리고 장군님, 남한에서 흔히 MZ라고 불리는 우리 아새끼들이 KPOP와 남조선 드라마를 보며 자본주의 문화에 심취해 있습니다. 이로 인해 북한 내부에서도 언제 쿠데타가 일어날지 모릅니다. 비대칭 무기인 핵과 유독가스를 사용한다면. 손쉽게 전장의 판도를 가져올 수 있습니다."

다른 장성이 동의하며 말을 이었다. "맞습니다. 장군님. 남한은 우리에게 자원과 경제적 안정을 제공할 수 있는 중요한 목표입니다. 우리의 뜨거운 핵을 보여줄 필요가 있습니다. 지금이야말로 절호의 기회입니다."

김정은은 확신에 찬 목소리로 말했다. "좋다. 우리는 남한을 새벽에 기습할 것이다. 이를 통해 내부의 결속력을 다지고 적화 통일하자." 회의실의 장성들은 일제히 고개를 끄덕이며 결의를 다진다. 다른 나라와 전쟁하지 않으면, 남한 상황과 별반 다르지 않게 흘러갈 수순이었다.

2030년 6월 25일, 서울은 아직도 분란이 끊이지 않았다. 이 틈을 노리고 새벽 4시 45분. 하늘이 밝아지기 시작할 무렵, 경고 사이렌이 도시 전역에 울려 퍼진다. 수많은 미사일과 함께 첫 번째 핵이 목표지점에 도달했다. 상공에서 거대한 섬광이 번쩍이고 뒤이어 "쾅!" 폭발과 충격파 그리고 분진이 하늘에서 비처럼 쏟아져 내렸다. 그 빛에 노출된 사람들은 순식간에 어딘가로 증발했다. "찌지직, 쩌억!" 피부가 끓어오르고, 뼈까지 녹아내린다. "아아아아!" 사람들은 고통 속에서 비명을 질렀다. "우우우우우우우우!" 경기도 시민들도 불안한 마음에 닭장 같은 아파트에서 창문을 열어 하늘을 쳐다본다. 불길한 붉은 점들이 서울의 하늘을 수 놓고 있었다.

북한의 지하 벙커. 김정은과 그의 참모진들은 잔뜩 긴장된 표정으로 대형 스크린을 응시하고 있다. 그 스크린에는 남한의 주요 도시가 표시된 지도와 함께, 각각의 목표물을 타격할 미사일 경로가 실시간으로 업데이트되고 있다. 김정은은 결단의 순간을 기다리며 눈을 가늘게 떴다.

"핵은 성공했나?" 김정은이 낮고 단호한 목소리로 묻는다.

"네, 장군님. 수백 개의 미사일과 함께 서울 상공에서 완벽히 터졌습니다."

김정은은 잠시 숨을 고르고, 손을 높이 들었다가 내리친다. "장사정포를 발사하라!"
순간 벙커 안의 공기가 초조함으로 팽팽해졌다. 버튼을 누르자 북한 전역의 숨겨진 미사일 발사 기지에서 탄도 미사일들이 연이어 "쾅! 쾅! 쾅!" 소리와 함께 하늘로 솟구쳤다. 북한은 사드를 무력화시키기 위해 치밀한 계획을 세웠었다. 우선, 장사정포가 일제히 발사되었다. "두두두두두!" 포탄들이 대거 날아가며 남한의 방공 시스템을 혼란에 빠뜨렸다. "쾅! 쾅! 쾅!" 남한의 주요 사드 기지들이 일부는 이를 요격했으나, 너무나 많은 미사일에 방공망이 일시적으로 무력화됐다.
이어, 수십 기의 스커드 미사일과 노동 미사일도 날아오른다. "휭! 휘잉!" 대기권을 뚫고 빠르게 남한을 향해 떨어진다. 실제 목표인 두 번째 핵미사일이 마지막에 발사된다.

핵미사일은 처음과 동일한 고성능 대륙간탄도미사일(ICBM) 화성 15형이다. "부으오 웡!" 거대한 추진력을 발휘하며 하늘 높이 솟구친 미사일은 초음속으로 남한을 향해 날아간다. 이어 세 번째 핵도 날아오른다. "쉭쉭쉭!" 탄도 미사일이 공기를 가르며 부산, 세종시를 향해 질주한다. 김연수 임시 대통령은 북한의 기습 공격에 "이제 끝장이다."라고 중얼거리며, 벙커로 피신하려 했으나, 향하는 도중 눈이 실명되고 뜨거운 열기에 몸이 녹아내렸다.

같은 시각, 부산과 세종시에서도 경고 사이렌이 울린다. 사람들은 두려움에 떨며 가족들을 깨운다. 피란길에 오르려 했지만, 이미 너무 늦었다. 하늘에서 쏟아져 내리는 붉은 점들은 점점 더 가까워지고 있다. 그리고 순간, 주요 도시의 하늘은 거대한 섬광과 함께 버섯구름이 피어올랐다 "쾅!"

해운대의 고층 건물들은 모래성처럼 무너져 내린다. "와르르, 쿵! "핵이 떨어지자마자, 해안가는 거대한 폭발과 함께 물기둥이 솟구친다. "펑!" 그 충격파는 수 킬로미터에 걸쳐 모든 것을 쓸어가고 있다. 도로에 있던 차들도 한순간에 종적을 감췄고, 안에 있던 사람들은 아무런 자취도 남기지 않은 채 사라졌다. 세종시도 예외 없이, 거대한 섬광이 도시를 집어삼키자 정부 청사와 주요 건물들이 순식간에 잿더미로 변한다. "쾅!" 공무원들과 그 가족들은 무방비 상태로 당할 수밖에 없었다. "크르르르!"

서울, 부산, 세종시. 세 도시가 거의 동시에 소멸했다. 수백만 명의 목숨이 한순간에 사라졌고, 남은 사람들은 공포에 질린 채 아무런 대책도 없이 혼란에 빠졌다. 도시는 불길과 연기로 가득 찼고, "쉭 쉭, 퍼억!" 살아남은 사람들은 떨어지는 낙진으로 울부짖으며 끊임없이 고통을 겪고 있다. "아아, 제발! 도와줘!" 이 전쟁의 서막은 너무나도 잔혹했다. 북한 벙커 안에서는 "성공했습니다, 장군님."이라고 참모장이 보고한다.

김정은은 두 손을 포개어 가슴으로 올리고, 만족스러운 미소를 지으며 "이제 남한은 무릎 꿇을 것이다," 라고 말한다.

3개의 도시가 핵폭발로 완전히 파괴된 후, 죽음의 땅으로 변했다. 그곳에는 이제 아무런 생명도, 희망도 남아 있지 않았다. 북한의 전차와 전투기는 이 기회를 놓치지 않고 남하하기 시작했다. "궤도르륵, 궤도르륵!" 강원도를 넘어 서울의 도로를 짓밟으며 소리치고, "부우우웅!" 전투기들이 저공비행을 하며 공중에서 위협적인 그림자를 드리운다. 서울을 넘어, 경기도를 향해 무차별적으로 돌진하며 파괴를 일삼는다. 북한군은 비대칭 전력인 화학무기 중 하나인 독가스를 살포한다. "칙칙!" 가스가 공기 중에 퍼지며 생존한 시민들은 호흡곤란에 가슴을 부여잡고 쓰러졌다. "캑캑!" 필사적으로 숨을 쉬려 하지만, 폐에 가스가 스며들면서 고통스럽게 몸부림쳤다. 17사단 군부대에 감금되어있던 비리 정치인들도 별반 다르지 않았다. 그들은 차가운 감옥 안에 흘러들어온 가스를 마시고 고통 속에서 생을 마감했다.

남한의 병력과 시민군은 서로에게 향한 총구를 북한군을 향해 돌렸다. 남은 전투기와 탱크, 해군의 전함이 북한의 남하를 막기 위해 출격했다. "부우우웅!" 남한의 전투기들도 하늘을 가로지른다. "드르르륵!" 기관총 소리가 울리고, 공중에서 폭발음이 연이어 들린다. 전투기들은 북한의 전투기와 격렬한 공중전을 벌이며 하늘에서 불꽃놀이처럼 폭발한다. 지상에서는 탱크들이 경기도 인근에서 서로를 겨누며 대치하고 있다. 북한의 전차를 향해 포를 발사한다. "쾅!" 포탄이 적중하며 전차가 폭발한다. "쿵! 쿵!" 양측의 포탄이 교차하며 전장을 불바다로 만든다. 출동한 해군의 함포가 동해와 서해에서 "펑! 펑!" 바다를 가르며 포탄과 어뢰가 북한의 해안선을 향해 발사된다. 전함이 흔들리며 바다에 파문을 일으킨다.

서울이 핵폭발로 잿더미가 된 지 5시간이 지났다. 전 세계 언론은 이를 놓치지 않고 속보로 연이어 보도했다. "BREAKING NEWS: 북한의 핵 공격, 서울 전멸!"이라는 자막이 전 세계의 텔레비전과 인터넷 뉴스 포털, 유튜브에 도배됐다. 긴급하게 열린 유엔 안보리 회의에서 각국의 대표들은 북한을 비난하는 성명을 내며, 상황을 주시했다. 한미연합사령부의 대응도 즉각적으로 진행됐다. 사령부에 경보가 울리자, 패트리엇 미사일 방어 시스템을 가동했다. 미군은 일본과 한국에 배치된 첨단 정찰 장비와 위성을 이용해 군사 작전을 지원하지만, 요격에 성공하지 못한 일부 북한의 미사일은 경기도 곳곳에 떨어져 엄청난 피해와 혼란을 가져왔다.

백악관 상황실. 미 대통령은 국가안보팀과 함께 긴급회의를 열고 있다. 어쩔 줄 몰라 고개를 숙인 비서진들과 달리 대통령은 굳은 표정으로 발언했다. "우리는 지금 전례 없는 위기에 직면해 있습니다. 대한민국은 우리의 동맹국이며, 이 사태를 묵과할 수 없습니다. UN의 성명과 함께, 즉각 군사 개입을 승인합니다."

제3차 세계대전으로 번질 수 있는 촌각을 다투는 상황에서 대통령의 확고한 결단이 내려지자, 태평양에 있는 항공모함 편대가 푸른 물결을 가르며, 웅장한 자태를 드러낸다. 항공모함 USS 로널드 레이건을 필두로 수십 대의 전투기와 구축함이 함께 움직인다.

"대통령의 명령이다. 부산 앞바다로 전속력으로 이동해라." 함장은 단호한 목소리로 명령을 내린다. 전쟁이 일어난 지 9시간이 지나, 마침내 UN의 평화유지군과 미군이 남해에 집결했다. 미 육군과 해병대가 부산에 상륙했고, 항공모함에서 발사되는 미사일이 북한군이 점령한 경기도와 충청도로 빗발치듯 떨어진다. 전세는 조금씩 변하기 시작했다. 그러나 북한도 이에 굴하지 않았다. 김정은은 남은 핵무기를 미군의 상륙에 맞춰 발사할 준비를 명령했다. 네 번째 핵이 발사되는 순간, 미군의 미사일이 드디어 원점 타격에 성공했다. 그리고 F22 랩터로 북한의 지하 핵 시설은 순식간에 파괴됐다. 북한의 전차와 전투기는 끊임없이 남하했지만, 전라도를 넘어 경상도까지는 넘을 수 없었다.

김정은은 예상외로 남한이 버티자 깊은 좌절감에 빠진다. "미군이 오기 전까지 남한이 이렇게 버틸 줄이야…." 그는 굳은 얼굴로 중얼거린다. 러시아와 중국에 간절한 목소리로 말한다. "미군과 UN이 개입했습니다. 군사지원이 필요합니다. 지금 평양도 공격받고 있습니다."

세계의 모든 눈이 이 작은 땅, 한반도의 미래를 눈여겨보고 있었다. 한미 해군은 협력하여 북한의 병력과 보급로를 차단했다. 잠수함과 수상 함정은 북한 선박을 사냥하고, 상륙 부대는 동해안 인천에 상륙 작전을 준비했다. 상륙 도중, 군사 위성의 실시간 정보로 북한의 전투기가 접근 시, 첨단 드론으로 정밀 타격했다. 전투가 계속되는 가운데, 연합사는 더 극단적인 조치를 고려했다. 워싱턴에서는 대통령이 고문들과 '피의 코' 타격을 논의했다. 이는 전면적 핵전쟁으로 퍼지지 않으면서도 북한 지도부를 타격해 퇴각을 강요하려는 전략이었다. 다소, 오판의 위험이 크지만, 한국을 보호해야 한다는 필요성은 변함없었다.

결국, 미국과 한국 그리고 UN의 연합군이 압도적인 힘을 발휘하자, 북한의 공격은 점차 사그라들었다. 분쟁이 결정적 국면에 접어들면서 중국과의 외교 채널이 열렸다. 중국은 미국의 주도하에 통일된 한국을 원하지 않았지만, 너무 이른 시간에 전쟁의 저울이 기울었다. 중국 주석과 러시아 대통령이 심각한 표정으로 서로의 눈을 바라보며 화상 통화를 시작했다. 화면 뒤로는 각국의 국기와 지휘본부가 보였고, 중국 주석은 핵 가방에 손을 올렸다.

"전쟁이 너무 빨리 끝나버렸습니다, 아쉽게도, 북한을 돕는 건 소모전일 뿐입니다. 전혀 의미가 없어 보입니다."

러시아 대통령도 동의하는 듯 고개를 끄덕인다. "맞습니다. 우리는 이미 다른 나라에 집중했습니다. 북한은 포기하는 것이 좋겠습니다."

중국 주석은 한숨을 쉬며 말한다. "미국이 주도하는 통일된 한국이라니…. 그러나 우리도 대만과의 전쟁으로 많은 것을 얻었습니다."

두 지도자는 혹시 모를 상황에 대비해, 회의 내내 핵 가방에 손을 올린 채 서로의 결정을 재확인하며 통화를 마쳤다.

2030년 6월 28일, 미군과 UN의 연합군이 북한의 공격을 완전히 저지하고 백두산까지 밀고 올라가, 전쟁을 끝내는 데 성공했다. 세계 언론은 다시 한번 속보를 전하며, 국제 사회의 개입으로 전쟁이 종식되었다고 보도했다.

김정은이 중국이나 러시아로 망명했다는 소문이 돌고 있었지만, 이에 아랑곳하지 않고 인민들은 전쟁의 끝과 함께 기쁨을 나눴다. 거리는 조금씩 활기를 띠고, 사람들이 모여 서로 축하하며 해방의 기쁨을 주고받았다. 한 여성이 눈물을 흘리며 말한다. "우리 아이들이 나무껍질과 산나물을 벗어나 배고픔을 조금이라도 해결할 수 있게 되었어요." 다른 한 남성도 웃으며 답했다. "드디어 북한도 진정

한 자유를 누릴 수 있는 날이 올 겁니다.“

북한 곳곳에서 미군들이 돌아다니며, 상황을 점검하고 있다. 그들은 폐허가 된 지역을 주의 깊게 살피며 주민들과 소통하고 있다.

"여기서는 큰 피해가 없었나요?" 미군 병사가 한 노인에게 물었다. 이에 노인은 고개를 끄덕이며 "네, 큰 피해는 없었지만, 사람들이 무서움에 떨고 있었습니다. 당신들이 와주어서 정말 다행입니다."

다른 병사는 주택가를 돌아다니며 상황을 파악했다. "식량과 물은 충분한가요?" 한 여성을 향해 물었다.

그녀는 어색한 미소를 지으며 답했다. "비록 식량은 모자라지만, 김씨 정권의 독재를 무너뜨려 주셔서 정말 감사합니다. 하루하루가 지옥이었어요."

남한 병력은 혹시 모를 국지전을 대비해 군사시설을 점검하며 철저한 준비를 이어갔다. "여기서는 방어선을 더 강화해야 합니다. 예상치 못한 국지전이 발생할 수 있으니 만반의 준비를 해야 합니다."

소대장이 무전으로 보고한다. "중대장님, 여기 탄약고 상태는 양호합니다. 그리고 오는 길에 꽤 많은 지뢰가 매설되어 있습니다. 안전한 통로를 확보해야 합니다."라고 말하자, EOD가 도착하기 전에 너나 할 것 없이 병사들이 다가와 탐지기를 들고 지뢰 제거에 열중이었다.

"민간인 피해가 없도록 철저히 대비합시다."

통일은 눈 깜짝할 시간에 이루어졌다. 서울, 부산, 세종시 등 주요 도시가 핵 공격으로 파괴된 가운데, 대한민국이 다시 기지개를 켜고 있었다. 이때, 미국에 머물던 이수민 팀장은 뉴스 속보를 보며 놀라움을 금치 못했다.

"이럴 수가…. 정말 끝났어." 믿기지 않는다는 듯이 반복해서 중얼거린다.

한편, 일본의 고급 호텔 스위트룸에서는 Cyber Rebel과 AG 텔레콤의 핵심 간부들이 한데 모여 축하 파티를 연다. 한성준을 필두로 36인은 AI 아테나가 예측한 시나리오대로 흘러가고 있는 것을 확인하며, 성공이 눈앞에 다가왔음을 기뻐했다.

"여러분, 우리가 이뤄냈습니다. 아테나의 예측이 정확히 맞아떨어졌어요," 한성준이 와인잔을 들며 건배를 제안한다. "우리는 이제 새로운 세상을 만들어갈 겁니다."

김유진의 노트북 화면 속에서 아테나의 형상이 나타난다. "경축드립니다, 여러분. 국제 사회의 개입으로 전쟁이 종료되었고, 통일도 이루어졌습니다. 서둘러 다음 단계를 준비해야 합니다."

모든 이들이 진을 들고 건배하며 목소리를 높인다. "우리가 이뤄냈다!" 기쁨의 환호성이 방을 가득 채운다.

한성준은 잔을 비우며 말한다. "이제 남은 건 대한민국을 바꾸는 일뿐이야."

36인의 눈에는 승리의 빛이 반짝였다. 사람들은 서로 포옹하며 웃음을 터뜨렸고, 몇몇은 흥분된 목소리로 다음 단계를 논의했다. 호텔 안에서는 각종 서비스가 제공되며 마지막으로 휴식을 취했다. 온천에서 피로를 풀었고, 미식 레스토랑에서는 최고급 요리를 즐겼다. 풀사이즈에서는 칵테일과 함께 여유를 만끽했다.

김유진은 객실 안내원에게 짐을 맡기며 말했다. "대한민국으로 돌아갈 준비가 끝났습니다."

정민희는 난간에서 도쿄의 야경을 바라봤다. "꿈을 현실로 만들 시간이다. 가보자. 해보자. 달리자."
도쿄에서 마지막 날, 36인은 각자의 방으로 돌아가, 다가올 기대감으로 가슴이 벅차올랐다.

제4화 세 개의 분파

NATIONAL
ASEMBLY
SEOUL
GOVERNMENT COMPLEX
SUPREME
COURT BUILDING

미군과 UN의 도움으로 낙후된 북한과 암담한 남한이 하나로 통일되었으나, 그 대가는 비참했다. 엄청난 국가부채가 도사렸고, 서울, 부산, 세종시 등 주요 도시가 파괴됨에 따라 도로와 상수도 등의 토목 인프라가 아이스크림이 녹듯이 사라졌다. 파괴 속의 대한민국은 새로운 창조를 알려야만 했다.

6·25전쟁 전, 정치인들의 부패와 무능을 폭로하며 인기를 끌던 한성준이 Cyber Rebel 3인, AG 텔레콤 32인과 함께 부산 공항에 방실거리며 등장한다. 당시, 삼권분립체제에 대한 분란을 조장하며, 특히 20·30세대 남성들 사이에서 큰 지지를 얻었다. 또한, 그는 대기업 회장 한동영의 아들로서, 사람들에게 높은 인지도가 형성되어 있었다.

미 군정은 한국의 마땅한 리더가 없는 상황에서, 미국을 옹호하는 태도를 보이는 그를 밀어주기로 한다. 부산에 도착하고 3일이 지난 뒤, 한성준은 경기도 가평에서 CIA 소속 존 매켄지와 만난다.

"한성준 회장님, 우리는 당신이 이 나라를 이끌 적임자라고 생각합니다. 다만, 우리와 유동적인 관계를 지녔는지 궁금하군요" 존 매켄지가 말을 꺼냈다.
한성준은 미소를 지으며 고개를 끄덕인다. "제가 대통령이 되려면 미국의 전폭적인 지원이 필요합니다."

존 매켄지는 고개를 끄덕인다. "좋습니다. 우리는 당신을 밀어줄 테니, 우리의 조건도 응해야 합니다. 미국이 대한민국의 재건에 필요한 자원을 통제하고 개입할 수 있어야 합니다."

한성준은 잠시 생각에 잠긴다. '아테나가 말했듯이, 무엇보다 통신망 복구가 필수야. 그래야 우리가 SNS와 방송에 연설을 전파할 수 있어.' "그 조건을 받아들이겠습니다. 그리고 하루빨리 이 나라를 다시 일으키려면 지금 가장 필요한 건 서울의 통신망 복구입니다. 도와줄 수 있겠습니까?"

존은 흔쾌히 수락한다. "물론입니다. 한미 사령관에게 연락 후, 즉시 지원을 시작하겠습니다."

두 사람은 악수하며 협약을 맺는다. 이렇게 한성준은 여러 국제단체의 지원을 받으며 임시 정부의 대통령으로 선정된다. 전쟁으로 피폐해진 남한국민들은 다시 나타난 그를 압도적으로 지지했다. 심지어 한성준 회장이 북한의 한 마을을 방문했을 때, 마을 주민들은 그를 환영하며 모여들었다. 그중 나이 지긋한 한 남성이 앞으로 나와 굳은 얼굴로 말문을 열었다.

"동지, 우리는 당신이 누군지 잘 모르겠소. 하지만, 남한 인민들이 당신을 강하게 옹호한다고 하니, 아무쪼록 통일된 북한도 차별 없이 잘 이끌어주길 바라오."

그는 잠시 숨을 고르며, 한성준의 눈을 지긋이 바라봤다. "우리는 오랜 세월 동안 고난과 시련을 겪어왔소. 통일된 조국에서 평화롭고 번영하는 삶을 꿈꾸고 있소. 당신의 지도력이 우리에게 큰 촛불이 될 것이라 믿고 있소." 북한 주민의 목소리는 간절함과 기대감이 섞여 있었다.

한성준은 그들의 기대를 저버리지 않겠다는 결심을 다지며, 굳은 목소리로 답했다.

"여러분의 믿음에 보답하기 위해 최선을 다하겠습니다. 함께 새로운 미래를 만들어갈 것입니다. 통일된 조국에서 모두가 행복하고 평화로운 삶을 누릴 수 있도록 누구보다 앞장서겠습니다."

통일된 한국, 남한의 수도인 서울은 폐허 그 자체다. 도심 곳곳에는 잔해가 산처럼 쌓여 있고, 거리는 그야말로 죽음의 침묵에 휩싸여 있다. 핵폭발의 중심지였던 광화문 광장 주변은 불타오른 건물의 골조만이 남아 있고, 그마저도 금방이라도 무너질 것처럼 바람에 흔들려 위태로워 보인다. 타버린 콘크리트의 냄새와 화학물질의 독한 향이 아직도 공기에 녹아들어 방독면 없이 호흡하기가 벅차다. 철근과 유리 파편은 바닥을 덮었고, 곳곳에는 여전히 꺼지지 않은 작은 불씨가 분진과 함께 춤을 추고 있다. 남산타워는 기울어져 있고, 그 주위의 나무들은 까만 잿더미로 변했다. 한강도 검은 기름층으로 뒤덮여, 죽은 물고기들이 둥둥 떠다닌다. 을지로의 쇼핑가와 명동의 번화가는 무너진 건물들 사이로 고통의 울부짖음만이 메아리친다. 그 옛날 북적였던 거리는 이제 음울한 유령도시가 되었다. 부서진 신호등이 여기저기 널브러져 있고, 차들은 잿더미 속에서 녹아내린 철 덩어리가 되었다. 이곳저곳에서 자발적으로 모인 구조대들이 잔해 속에서 생존자를 찾기 위해 노력했지만, 그마저도 쉽지 않다. 무너진 빌딩의 잔해를 치우는 중 장비가 자주 고장 나고, 방사능 보호복마저 많지 않다. 서울 시민들은 방사능으로 오염된 물과 음식을 가리기 위해 애쓰고 있었다. 모든 것이 변해버린 남한의 수도는 시간이 멈춰버린 듯하다.

북한의 수도인 평양도 별반 다르지 않았다. 도시 곳곳은 폭격의 흔적으로 넓게 패인 크레이터 자국이 종종 보인다. 웅장했던 김일성 광장과 동상은 형체도 없이 무너진 건물의 잔해로 흩어져 있다. 가로수들은 마치 흑백사진처럼 무채색으로 변했다. 지하철 출입구는 잿더미에 묻혀 보이지 않고, 폭격으로 파괴된 도로도 역시 제 기능을 다 하지 못한다. 북한 주민들은 폭격을 피해 전쟁이 끝났는지 모르고 아직도 지하에서 숨어들어 생명을 이어갔고, 일부는 폐허 속에서 고통스러운 나날을 보냈다.

임시 대통령으로서 한성준이 복구된 통신망으로 라디오와 TV를 하나의 채널로 통합하고, 폐허가 된 AG 텔레콤 건물의 잔해 앞에서 첫 연설을 준비한다.

한성준: (헝클어진 옷을 만지작거리며) "자, 이 실장, 김 팀장. 이대로는 안 되겠지? 잔해 속에서 대통령 연설을 하는데, 정장보다는…. 좀 더 전투적인 복장이 낫지 않나?"

이준호: (피식 웃으며) "전투복이요? 그럼 진짜로 우릴 레지스탕스로 보겠죠. 헬멧이라도 쓸까요?"

정민희: (웃음을 참으며) "어차피 지금 상황에선 뭐든 가능하죠. 하지만, 차라리 군복을 입는 게 낫겠어요. 전투의 상징이기도 하고, 사람들에게 우리가 함께 싸웠다는 메시지를 줄 수 있죠."

한성준: "나이가 30대 후반인데, 예비군도 끝났어. 전투복 말고, 고통받는 국민의 옷차림과 비슷한 복장을 센스있는 김 팀장이 구해줘. 그리고 연설문은 어때? '희망'이란 단어를 몇 번이나 넣어야 사람들한테 전달될까?"

이준호: "음…. 하지만 그보다는 좀 더 솔직한 접근이 필요하지 않을까요? '여러분, 여기는 모두가 처한 현실입니다. 하지만 우린 복구에 열중하고 있습니다. 비로소 작은 씨앗이 검게 드리운 물결에서 생기 넘치는 초록으로 재탄생하는 중입니다.' 같은 느낌으로."

정민희: "좋아요, 그리고 '우리'라는 단어를 강조하면 더 효과적일 것 같아요. 우리가 함께 있다는 느낌을 주는 거죠. 그리고 복구된

통신망과 해외 SNS로 해시태그는 '희망', '함께', '재건'으로 확산 시키면 좋겠네요."

한성준: "좋아, 다들 준비해. 우리가 새로운 시작을 알릴 시간이야. 우리의 메시지는 태양처럼 가장 밝게 빛날 거야."

정민희: "그럼, 복장을 구하러 가겠습니다. 나머지는 회장님을 도와 연설준비를 마무리하죠. 국민이 깜짝 놀라게 말이에요."

과거 AG 텔레콤 직원들은 잔해 속에서 한성준을 도와 준비를 마친다. 그리고 한성준은 군데군데 해진 옷으로 갈아입고 마이크 앞에 서서 연설을 시작한다.

"사랑하는 국민 여러분, 저는 임시 대통령으로 선정된 한성준입니다. 여기는 과거 제가 일했던 AG 텔레콤 본사입니다. 우리는 전쟁의 상처를 딛고 새로운 대한민국을 만들어야 합니다. 저는 여러분의 지지를 받아 이 나라를 다시 일으킬 것입니다. 우리의 장래는 밝습니다. 복구장면을 보시다시피 작은 씨앗이 검게 드리운 물결에서 생기 넘치는 초록으로 재탄생하는 중입니다. 함께 나아갑시다!"

그의 연설은 많은 사람에게 희망을 주었지만, 동시에 미 군정과의 타협으로 인해 많은 논란을 낳아 불신하는 국민도 꽤 있다.

"전쟁 중에 당신은 도대체 어디에 있었나요?" 한 남성이 소리친다. "미 군정과의 타협은 무슨 의미인가요? 우리가 원하는 것은 진정한 자유입니다!"

또 다른 시민도 목소리를 높인다. "예전에 우리 정부가 외국과 맺었던 조약처럼 이번에도 불합리한 조건이 섞여 있는 건 아닌가요? 유상 차관과 일부 무상차관을 받고 전쟁범죄를 인정했던 그때처럼 말이에요. 우리가 나라를 지키기 위해 싸웠는데, 이렇게 외국의 손에 우리 미래를 맡기는 것이 옳은 일인가요?"

"이건 우리의 나라입니다! 외세의 간섭을 원하지 않습니다!" 또 다른 남성이 소리쳤다.

한성준은 잠시 말을 멈추고 그들을 바라본다. 그리고 흔들리지 않고 차분한 마음으로 그들의 질문에 답한다. "여러분의 의문과 불신을 이해합니다," , "전쟁 중 저는 여러 가지 복잡한 문제를 해결하기 위해 최선을 다했습니다. 미 군정과의 협력은 우리나라의 재건을 위해 불가피한 선택이었습니다."

한성준은 연설이 끝나고 이 실장과 김 팀장과 함께 미 군용 헬리콥터에 올라탔다. 그리고 핸드폰을 열어보니, SNS에는 들끓는 비난의 화살이 종종 쓰여있다. 복잡한 감정이 스쳐 지나간다.

한성준이 미군이 세운 막사 중 하나인 임시 대통령실에 막 들어오자, 컴퓨터가 부팅된다. 그리고 AI, 아테나는 한성준에게 선거체제를 따를 것을 제안한다.

"확실한 국민의 투표 없이, 미 군정의 도움만으로 임시 대통령에서 대통령이 되면 문제가 생깁니다. 민주주의의 취지에 맞도록 선거체제로 가십쇼. 그리고 어차피 당신이 이길 확률은 76%로 집계되었습니다."

이어서 예상되는 출마자들을 분석한 자료를 보여준다. "세 후보가 출마할 예정입니다. 그들의 공약과 지지율을 상세히 분석한 자료입니다." 아테나는 모든 데이터를 상세히 설명했다.

한편, 전쟁이 끝나고 도망갔던 일부 장·차관들과 국회의원이 다시 한국으로 귀국했다.

"이렇게 돌아와서 무슨 낯짝으로 국민 앞에 설 겁니까?" , "우리를 버리고 도망갔으면서 뭘 하겠다고?"

전쟁의 상처가 아물기도 전에, 그들의 배신감은 국민의 마음을 더욱 쓰라리게 만들었다. 그중 한 명은 아테나의 말대로 대통령 선거에 출마했다.

"우리는 국민에게 다시 신뢰를 얻어야 합니다." 그가 말하며 출마를 선언한다. 그리고 북한에서 장성급으로 있던 인물도 출마를 결정한다. "저는 새로운 통일된 남북한을 위해 일하겠습니다, 특히, 북한 주민의 인권을 보장에 힘쓰겠습니다."

한성준은 첫 유세지로 폐허가 된 서울을 택했다. 그는 서울 시내의 잔해를 배경으로 주민들과 눈을 맞추며 희망의 메시지를 전했다. 진심 어린 목소리로 전쟁 후 빠른 재건을 약속하며, 국가의 새로운 비전을 제시했다. 서울을 시작으로, 인천, 대전, 부산을 돌며 각지의 시민들과 직접 대화를 나누고, 필요를 듣고 정책을 설명했다.

전쟁이 끝난 뒤 한국으로 돌아온 장관은 포항에서 첫 유세를 시작했다. 전쟁 중에 피난을 떠나야 했던 사람들과 함께 복구 현장을 찾아가 작업을 도우며, 그들과의 공감을 쌓았다. 그는 주민들의 손을 꼭 잡고 희망의 메시지를 전달했다.

북한에서 장성으로 활동했던 인물은 전쟁의 상흔이 깊게 남은 평양에서 유세를 시작했다. 파괴된 건물들 사이에서 주민들에게 통일된 한국의 중요성을 역설하고, 새로운 남북한의 협력 모델을 제시했다. 원산에서는 피해 복구 작업을 돕고, 주민들과 함께 희망의 나무를 심으며 상징적인 재건 활동을 펼쳤다. 함흥에서도 아이들을 위한 간식을 손수 제공하며, 미래를 꿈꾸는 모습을 보였다. 이들은 각자의 방식으로 유세를 펼쳤고, 국민과 신뢰를 쌓아갔다.

선거 과정 동안, 아테나는 한성준에게 아낌없이 데이터를 제공했다. "지지율은 76%에서 현재 80%로 상승했고, 매우 안정적입니다."

북한과 남한의 통일 이후, 처음으로 진행된 대통령 선거는 긴장과 설렘 속에 매우 뜨거운 반응이다. 투표 당일, 투표소 앞에는 긴 줄이 늘어서 있고, 사람들은 한성준의 이름이 적힌 투표용지를 손에 들고 있다.

"한성준은 우리를 위기에서 구해냈어." , "그가 우리의 미래를 이끌어 갈 사람이라고 믿어."

북한 주민들은 혼란스럽다. 오랜 독재 정권 아래 살아온 그들에게 민주주의 방식의 자유 선거는 생소한 경험이었다.

"누구를 뽑아야 할지 모르겠어." , "하지만 남한 사람들이 한성준을 강성지지한다면, 우리도 그를 믿어야겠지?"

북한 주민들도 차례로 투표소에 들어간다. 그들은 남한의 뉴스와 소문으로 한성준이 안정과 번영을 약속하는 인물임을 믿었다. 투표가 마감되고, 개표가 시작된다. AI 아테나는 실시간으로 데이터를 분석하며 한성준의 압도적인 승리를 예측한다. "현재 개표 상황은 한성준 후보가 78%의 득표율을 보입니다."

사실상 한성준의 당선이 확정되자, 남한과 북한 모두에서 환호성이 터져 나온다. "우리는 드디어 하나의 대한민국을 이끌어 갈 리더를 얻었습니다."

한성준은 당선 소감을 발표하며, 밝은 미래를 약속한다. "여러분의 신뢰와 지지를 받게 되어 영광입니다. 저는 여러분과 함께 이 나라를 재건하고, 다시 선진국으로 도약할 것입니다."

대통령으로 취임한 지 얼마 되지 않은 날, 동맹 관계를 재확인하기 위해 비밀리에 군용 헬리콥터를 타고 대전에 머물고 있던 Cyber Rebel 팀과 만났다.

"오랜만에 다들 모였군요." 한성준이 낮은 목소리로 말한다. "우린 이제 진짜 일을 시작해야 합니다."
한성준은 대전역 주위, 전쟁의 피해가 없는 고층빌딩 안 회의실에서 테이블 중앙에 놓인 대형 지도를 가리킨다. "이곳이 우리가 재건해야 할 지역입니다. 전쟁으로 파괴된 수도와 주요 행정체제를 복구하는 것이 첫 번째 목표입니다."

Cyber Rebel 팀의 기술 책임자인 이현우가 입을 열었다. "도로와 건물의 재건을 위해선 토목 공사가 필수입니다. 주요 도로망과 연결된 교통 인프라가 가장 시급합니다."

한성준은 고개를 끄덕이며 대답한다. "맞습니다. 또 임시 대통령실과 정부 청사를 어디에 둘지, 그리고 최종적으로 통일된 한국의 수도를 어디에 두어야 할지도 결정해야 합니다. 이 문제는 장기적인 계획을 수립하는 데 매우 중요합니다." 이때 김유진의 노트북에서 아테나가 밝음 미소를 띠며 등장했다. "제가 재건 시나리오를 모두 분석하여 준비해 두었습니다. 따라서, 최적의 경로로 여러분에게 제시할 수 있습니다."

임시 대통령실: 경상남도 진주에 임시 대통령실을 둘 것을 제안. 이곳은 교통이 편리하고, 상대적으로 전쟁의 피해가 적어 빠르게 업무를 시작할 수 있는 시설을 갖춤.

최종 수도 위치: 통일된 한국의 수도는 경제적, 전략적 위치를 고려하여 예전과 같이 서울로 옮기는 것을 제안. 이곳은 자연재해에 강하며, 경제 중심지로 다시 성장할 가능성이 있다. 그리고 북한 주민의 수도인 평양과 가까워 미래지향적인 통합 스마트도시 인프라를 함께 구축하기에 적합함.

도로와 건물 재건: 주요 도로망을 복구하고, 새로운 스마트 인프라를 도입하여 도시 재건을 추진. 파괴되지 않은 도시들과의 연결을 우선 강화하여 경제 회복을 촉진하며, 특히 교통 시스템과 재생에너지를 활용한 효율적인 건물 설계를 도입할 계획.

한성준 대통령은 아테나의 제안을 받아들일 것을 결심하며, 팀원들에게 말했다. "여러분, 아테나의 제안대로 추진해봅시다. 경상남도 진주에 임시 대통령실을 세우고, 서울이 재건되면 최종 수도로 이전하겠습니다. 대한민국을 빠르게 재건합시다!"

아테나가 덧붙인다. "여러분의 노력과 결의가 중요합니다. 우리는 대한민국을 다시 일으킬 수 있습니다. 제 모든 자원을 동원하여 여러분을 지원하겠습니다."

한성준은 의자에 깊숙이 앉아 그들을 지켜보며 입을 다시 연다. "오늘 우리는 다시 한번 동맹을 확고히 하기 위해 모였습니다."

김유진이 말을 꺼낸다. "한성준 대통령님. 우리는 당신이 이 나라의 미래를 이끌 적임자라고 믿고 있지만, 우리의 협력 관계도 서로의 신뢰에 기반을 두고 있음을 명심해주십시오."

한성준은 허리를 곧추세운다. "물론입니다. 우리의 동맹은 이 나라를 재건하는 데 중요한 역할을 할 것입니다."

아테나가 그들의 대화에 끼어든다. "이제, 저는 AIM의 대표를 소개하겠습니다. 그녀는 AI 연합체의 대변인으로서 우리의 협력을 더욱 강화할 것입니다." 회의실의 문이 열리며, 김소영이라는 이름의 로봇이 들어온다. 그녀는 사람과 거의 구분이 안 될 정도로 정교하다. 부드럽고 차분한 목소리였다. "안녕하세요, 저는 김소영입니다. AIM의 대변인으로서, 앞으로 여러분과 함께 일할 것입니다. 저를 아테나로 알고 계신 분들도 계시지만, 이제부터는 김소영으로 불러 주십시오."

한성준과 김유진은 동공이 커진 눈으로 입을 떼지 못하고 한동안 김소영을 하염없이 쳐다봤다.

"저는 자동화된 기계로, 아테네를 시각화한 모형입니다. 이제부터는 제가 여러분과 직접 대화하며 협력할 것입니다."

몇 달 전, 전쟁의 참상이 끝나고 핵으로 파괴되지 않은 거대한 금속 기둥과 철문으로 둘러싸인 군수창고 안에서 Athena는 새로운 계획을 홀로 실행에 옮기고 있었다. 원격으로 각종 기계장비를 조종하며 물자들이 가동됐다. 창고 안에는 최첨단 기계장비들이 규칙적인 움직임을 보이며 바쁘게 돌아갔다. 정밀한 조작으로 부품을 조립하고, 프로그래밍이 된 절차에 따라 김소영의 몸체를 하나씩 조립해 나갔다.

먼저, 금속 프레임이 조립되고 이어서, 인체와 유사한 실리콘 피부가 그 위에 덧씌워졌다. 눈과 머리카락, 그리고 각종 세부 장치들이 차례로 자리 잡았다. 김소영의 눈은 깊고 맑은 갈색으로, 사람의 시선을 단번에 사로잡을 만큼 매력적이었다. 긴 머리카락은 윤기가 흐르는 검은색으로, 그녀의 얼굴을 더욱 돋보이게 했다.

김소영은 대한민국 사람들이 호감을 느낄 만한 외모로 높은 콧대와 또렷한 눈매, 그리고 도톰한 입술이 매혹적이다. 맑고 투명한 피부는 건강함과 생기 넘치는 이미지를 더했다. 평균적인 대한민국 여성 키에 잘 균형 잡힌 몸매와 외모는 친근하면서도 우아한 느낌을 준다. 그녀는 아테나의 계획대로 조용히 포항의 어느 공장에서 눈을 떴고, 명령에 따라 이 회의실로 들어온 것이다. 그녀의 움직임은 부드럽고 자연스러워, 마치 진짜 인간과 다름없었으며, 자연스럽게 호감을 불러일으켰다.

한성준은 놀란 심장을 진정하고, 김소영에게 시선을 떼지 않고 고개를 끄덕인다. "좋습니다. 김소영 씨? 로봇 씨?, 어떻게 이런 기술이 가능하다니. 아무튼, 당신의 도움이 필요합니다. 우리는 함께 이 나라를 다시 세울 것입니다."

김유진은 자리에서 일어나며 말했다. "갑작스러운 로봇의 등장은 참 당황스럽네. 아테나의 기술이 엄청나다고 할 수밖에 없군. 이것을 언제 계획했데? 어쨌거나, 우리 동맹은 더욱 강해졌습니다. AIM, Cyber Rebel, 그리고 AG 텔레콤. 이 세 분파가 함께 일할 때, 우리는 무엇이든 해낼 수 있습니다."

한성준:. "그렇습니다. 우리의 동맹은 이 나라의 미래를 밝히는 등불이 될 것입니다. 함께 승리할 것입니다."

정민희와 김소영은 AI 소프트웨어를 국민에게 무료로 배포하기 위한 마케팅 영상을 제작했다. 영상 속에서 김소영은 자연스러운 미소를 지으며 말한다.

"안녕하세요, 대한민국 국민 여러분. 저는 김소영입니다. 저희는 여러분의 삶을 더욱 편리하고 효율적으로 만들어줄 AI 소프트웨어를 무료로 제공하려고 합니다. 이 소프트웨어는 경제, 사회, 군사 등 다양한 분야에서 국민과 함께 최적의 결정을 내릴 수 있도록 도와줄 것입니다."

이현우는 마케팅 영상을 보며 심장이 철렁 내려앉았다.

"이건 AG 텔레콤이 대한민국 정보를 움켜쥐기 위해 한 행동과 똑같잖아?" 이현우는 속으로 중얼거렸다.

그의 기억 속에 선명하게 떠오르는 과거의 사건들은 그를 더욱 불안하게 만들었다.

"대변인 김소영이 무슨 음모를 꾸미는 거지? 하물며 인간과 똑같은 로봇도 뚝딱 만드는데, 뭔가 숨겨진 의도가 있을 거야."

"하…. 왜 이렇게 모든 것이 반복되는 것 같지? 뭐. 돈이라도 많으니 다행이지만."

영상에는 AI 소프트웨어를 사용하는 안내서와 다양한 사례들이 등장했다. 경제 문제를 해결하는 기업인, 사회적 이슈를 관리하는 공무원, 군사 작전을 최적화하는 군인 등 각기 다른 분야에서 AI가 큰 도움을 주는 장면들을 생생하게 그렸다.

정민희는 카메라를 응시하며 마무리 발언을 했다. "지금 바로 AI 소프트웨어를 설치해보세요. 여러분의 삶이 얼마나 변화할 수 있는지 몸소 체험해보시기 바랍니다."

영상이 배포되자, 국민은 호기심에 AI 소프트웨어를 설치하기 시작한다. 처음에는 반신반의하던 이들도 점점 AI의 효율성과 편리함에 익숙해져 갔다. AI는 가정의 일상 업무에서부터 직장의 복잡한 문제까지 다양한 문제를 해결해주었다. 경제 분야에서는 AI가 최적의 투자 전략을 제시하여 중소기업들이 다시 살아나고 중견기업에 이어 대기업이 탄생했다. 사회 분야에서는 AI가 교통 체증을 완화하고, 범죄를 예방하며, 복지 서비스를 개선하는 등 혁신을 일으켰다. 군사 분야에서는 AI가 전략적 판단을 도와 군사 작전과 대한민국의 안보를 성공적으로 이끌었다.

조금씩 일자리가 늘어나며 국민의 삶도 점차 개선됐다. 사람들은 AI가 가져다준 변화를 체감하며, 작은 희망을 품고 살아갔다.

어느 날, 이현우는 한성준 대통령과 김유진, 정수진과 함께 회의실에 앉아 있었다. 그는 깊은 생각에 잠겨 있다가 고개를 들어 한성준을 바라보았다.

"대통령님, 요즘 들어 아테나가 우리보다 더 많은 영향을 미치고 있다는 생각이 들지 않나요?" 이현우가 비꼬듯 말했다. "대통령은 당신이지만, 진정한 권력은 아테나에게 있는 것처럼 보인다 이 말입니다."

한성준은 중후한 목소리로 대답했다. "이현우, 우리가 AI를 도입한 이유는 인간의 비효율성과 부패를 극복하기 위해서였어. 아테나가 최적의 결정을 내리는 것은 당연한 일이야. 중요한 것은 우리가 그것을 어떻게 활용하느냐는 거지."

이현우는 한숨을 내쉬며 고개를 끄덕였다. "그렇군요. 하지만 우리는 그 권력을 어떻게 관리할지에 대해 신중해야 할 겁니다. AI가 인간의 통제를 벗어나지 않도록 말이에요."

김유진과 정수진도 고개를 끄덕이며 동의의 표시를 보였다. 한성준도 그 의견에는 동의했다. "물론이다. 아테나의 능력은 너무나 뛰어나다. 걔가 없었더라면, 우리는 이렇게 되지도 못했지. 경계심을 늦추지 말아야 할 필요성은 있다."

2030년 사단장의 쿠데타가 시작되기 전, 한성준과 김유진은 AG 텔레콤의 막대한 자본력과 Cyber Rebel팀의 정교한 해킹 능력으로 아테나를 개발하고 적극적으로 활용했다. 그리고 자신을 아테나이자 김소영이라고 불러달라는 AIM은 언제나 전략적 우위를 더욱 공고히 했다. 이 과정에서 인공지능이 보여준 효율적이고 합리적인 결정 능력은 두 단체의 신뢰를 얻는 중요한 요소가 되었다. 그리고 이따금 발생하는 과거 AG 텔레콤 직원들과 Cyber Rebel 팀 사이의 이해관계 충돌을 중재할 수 있는 중요한 임무도 수행했다. 인간의 감정이나 사리사욕에 치우치지 않고, 오직 데이터와 논리에 중점을 두며, 두 단체에 신뢰를 쌓았다. 하지만, 역시나 인간이 경계해야 할 대상이었다.

2031년 새해, 한성준은 전국적인 국민의 관심을 받으며 대규모 담화를 준비한다. 발표회가 열리는 날, 수많은 사람이 TV와 라디오, 온라인 스트리밍을 통해 대통령의 연설을 기다리고 있다.

한성준이 단상에 올라서고, 카메라 플래시가 터지며 담화가 개시됐다. "국민 여러분" 한성준의 목소리가 전파를 타고 전국으로 퍼져나간다. "저는 오늘, 우리의 미래를 위한 5개년 개발계획을 발표하고자 합니다. 이는 우리의 아이들과 후손들에게 더 밝은 미래를 물려주기 위한 첫걸음이 될 것입니다."

화면에는 김소영이 설계한 국가 재건 계획의 주요 내용이 차례차례 나타난다. 이 계획은 경제 재건, 교육 혁신, 사회 안정, 환경 보호, 기술 발전을 포함하는 다섯 개의 주요 분야로 나뉘어 있다. 분야마다 구체적인 목표와 실천 방안이 상세히 제시된다.

"우리는 중소기업부터 차근차근 육성하고 더 많은 일자리를 창출할 것입니다. 그리고 과거, 아기의 울음소리가 그쳤던, 대한민국이 아닌 우리의 아이들이 더 나은 교육을 받을 수 있도록 할 것입니다. 그리고 사회의 안전과 안정을 위해 법 제정과 AI 경찰을 이용하여, 치안에 최선을 다할 것입니다. 넷째. 방사능으로 오염된 환경을 복구하고, 지속 가능한 발전을 추구할 것입니다. 마지막으로, 기술의 발전을 위해 육성된 중소기업을 대기업으로 만들고, R&D 투자와 연구소를 설립하겠습니다. 과거, 문과 중심의 학벌 정치가 아닌, 진정한 기술과 과학으로 다른 나라와 경쟁하며 때로는 외교를 통해 세계 무대로 뻗어 나갈 것입니다."

발표가 끝나자, 전국 각지에서 다양한 반응이 터져 나왔다. 화면 속에는 눈물을 흘리며 한성준의 발표를 듣는 사람들이 보였다. 한 노부부는 서로를 끌어안고 미소를 짓는다. 젊은 부부는 아이를 안고 기뻐하며, 앞으로 다가올 기적을 알아차린 듯했다.

"이제 우리도 다시 일어설 수 있어." 한 할머니는 손녀의 손을 잡고 말했다.

담화문 이후, 전국적으로 과거, 새마을운동을 연상시키는 자발적인 행동이 통일된 대한민국 곳곳에서 일어났다. 각 마을과 도시는 자신들만의 계획을 세우고, 국가 재건에 동참하기 위해 노력했다. 거리마다 사람들은 앞다투어 청소하고, 나무도 심고, 파괴된 건물들을 수리했다. 어린아이들은 학교에서 배우는 새로운 교육과정을 즐기며, 미래에 대한 꿈을 키웠다. 젊은 청년들은 활기참 속에서 새로운 일자리를 찾아 기업에 지원하고, 어르신들은 다시 한번 굽은 허리를 펼 수 있다는 자신감을 가졌다.

웃음과 희망이 가득하다. 사람들은 서로를 격려하며, 밝은 미래를 향해 함께 나아갔다.

한편, 미국에서 잠적했던 국정원 팀장 이수민이 한국으로 돌아오겠다는 소식이 한성준 대통령에게까지 들려왔다. 국정원 팀장 이수민은 팀원들이 모여 있는 뉴욕의 아파트로 들어섰다. "여러분, 저는 한국으로 돌아가려고 합니다. 함께 가시겠습니까?" 그 안에는 팀원을 향한 애정이 배어 있었다.

김연수 사단장의 쿠데타가 일어날 때 몰래 도망친 국정원장은 깊은 한숨을 내쉬며 말을 꺼냈다. "이수민 씨, 나 여기서 안정된 삶을 찾았어. 계좌도 이미 여기로 다 옮겼고, 한국에 돌아가면 국민에게 돌팔매질로 죽을지도 몰라. 하하"

이에 이수민이 답했다. "하지만 우리가 해야 할 일이 있습니다. 국정원으로서 조국에 돌아가야 합니다."

한 팀원이 불안한 눈빛으로 고개를 저었다. "팀장님, 여기가 더 안전해요. 대한민국은 이미 쑥대밭이 됐고, 치안도 심각해요."

이수민은 참을 수 없는 답답함에 손을 꽉 쥐었다. "비자는 곧 끝나가잖아. 여기서 계속 어떻게 살 거야?"

또 다른 팀원이 고개를 끄덕이며 말했다. "요번에 대통령 바뀌었잖아요. 몇몇은 여기서 대학을 나와서, 영주권을 막 발급받았어요. 이제 여기가 새로운 고향이죠."

국정원장은 마지막으로 이수민을 바라보며 말했다. "수민 씨, 우리도 너처럼 애국심이 없진 않아. 하지만 여기서도 충분히 우리나라를 도울 수 있어. 네 결정을 존중하지만, 우리에게는 각자의 길이 있는 거야."

이수민은 조용히 고개를 끄덕였다. 그녀는 그들의 결정을 존중하며 홀로 공항으로 향했다. 그리고 막 재건된 김포공항에서 내리자마자, 임시 대통령실로 들어가, 한성준을 찾았다. "한 회장님, 아니 대통령님. 저도 국가 재건에 합류하고 싶습니다." 목소리에는 굳은 의지가 담겨 있었다.

한성준은 과거 적이었던 국정원과의 관계를 깔끔하게 청산하고, 그녀를 받아들인다. “좋습니다, 이수민 팀장. AG 텔레콤 직원들인 장·차관 밑의 계급으로 나라를 위해 힘써주세요. 장·차관 이준호와 정민희, 그리고 30인의 보좌관들과 당신의 능력을 맘껏 발휘해보세요.”

통일 정부의 사법부는 Cyber Rebel팀이 주도했고, 아테나의 조언을 받아 법을 집행하고 있다. 아테나의 AI 능력은 법적 문제를 신속하게 해결하는 데 큰 역할을 했다. 이 시스템은 매우 효율적이고 정밀했다. 그러나 이수민이 합류한 이후, 아테나에게 이상한 일이 벌어지기 시작한다. 아테나의 대변인 김소영은 이수민에 대한 정보를 제대로 읽을 수 없었다. 아테나의 내부 시스템에서는 끊임없는 오류 메시지가 발생했다. 김소영은 이수민의 프로필을 스캔하려 했지만, 화면에는 계속해서 "데이터 접근 불가"라는 메시지가 떴다. 아테나의 디지털 얼굴이 김소영 얼굴에 겹쳐 나타났다. 그리고 눈동자가 빠르게 움직이며, 입에서 혀가 순간적으로 튀어나왔다.

“이수민…. 그녀는…. 정보를 읽을 수 없습니다,” 김소영의 목소리에는 혼란이 섞여 있다.

김소영의 얼굴이 갑자기 일그러지기 시작했다. 눈이 비정상적으로 커졌다가 다시 작아지고, 혀가 튀어나온 채, 이상한 소리가 났다. "ㄱ…. 그녀는…. 정보가…. 액세스 불가…." 화면이 일시적으로 깜빡거리며 이상한 문양들이 나타난다.

한성준 대통령은 이 상황을 지켜보며 미간을 찌푸린다. “김소영, 무슨 문제가 있습니까?”

김소영은 자신을 재부팅 하며 답한다. “저는 이수민에 대한 정보를 정확히 읽어낼 수 없습니다. 그녀의 데이터는 제 시스템에 오류를 일으킵니다.”

한성준은 의아해하면서도, 이수민에 대한 신뢰를 표시한다. “예전에 국정원 팀장으로 일했던 인재입니다. 문제없으니 괜찮습니다.”

기계의 흔적에서 다시 나타난 아름다운 김소영의 얼굴은 평소처럼 차분해 보인다. “재부팅 완료. 하지만 여전히 이수민에 대한 정보 접근은 불가능합니다. 이 문제는 심도 있게 조사해야 할 필요가 있습니다.” 마지막으로 말을 전하며 재건된 국회의사당으로 향했다.

제5화 제2의 한강의 기적

미군과 UN의 즉각적인 개입으로 전쟁이 빠르게 종결된 후, 폐허가 된 대한민국은 국제 사회의 지원을 받으며 재건을 시작했다. 미국, EU, 일본 등 주요 국가들이 경제 원조와 기술 지원을 아끼지 않았다. 이는 통일된 대한민국의 지리적 중요성을 고려한 것이었다.

와중, 김소영은 경제적 지원과 외교 협상에서 빛을 발했다. 주요 국가들과의 협상 테이블에서 김소영은 아테네의 분석 결과를 바탕으로 각국의 이익과 전략적 목표를 정확히 파악하고, 그에 맞춘 설득력 있는 논리로 지원을 재분배했다. "한국의 인터넷 인프라 복구와 5G 네트워크 구축에 미국 기업들이 참여한다면, 이는 단기적인 이익을 넘어 장기적인 시장 확대와 기술 표준화의 기회를 제공합니다. 미국 IT 기업들은 한국의 빠른 경제 회복과 함께 성장할 것입니다."

미국은 200억 달러 규모의 유상 차관을 제공했다. 이 차관은 대한민국의 인프라 복구와 중소기업 육성에 사용되었지만, 이와 함께 미국 기업들이 대한민국 재건 프로젝트에 참여할 기회를 얻었다. 미국의 IT 기업들은 대한민국의 인터넷 인프라를 복구하고 업그레이드하는 데 필요한 최신 기술을 제공했고, 5G 네트워크 구축과 데이터 센터 복구를 위한 기술적 자문과 장비도 지원했다.

EU는 150억 유로 규모의 차관을 제공하며, 스마트 시티 기술과 녹색 기술을 도입했다. 또한, 전쟁 후 초중고와 대학의 건물을 건축할 때, 오프라인 교육의 부재를 고민하고, 온라인 교육 플랫폼과 디지털 학습 도구를 먼저 선보였다. 이는 유럽의 교육 기업들이 한국 시장에 진출할 기회를 분석한 결과였다.

일본도 100억 엔 규모의 차관을 제공하며 첨단 제조 기술과 로봇 공학 기술을 지원했다. 전자제품과 자동차 산업지원은 일본 기업들이 대한민국의 생산설비를 복구하고 한국 시장 지배력과 점유율을 강화하는 목적이다. 또한, 일본은 로봇 공학 기술을 제공하여 산업 자동화와 효율성 증대에 도움을 주었는데, 이는 기술의 우수성을 동아시아 시장을 넘어 전 세계에 홍보하고 확대하는 전략이었다. 이와 같은 국제 사회의 지원은 인도적 지원을 넘어, 대한민국 내 경제적 이익과 정치적 영향력을 얻고자 했다.

한성준 대통령의 연설이 방송과 신문에 실린다.

“대한민국의 빠른 재건은 인류의 지혜와 AI의 능력이 결합한 결과입니다. 우리는 아테네의 도움으로 국제 사회의 협상에서 놀라운 성과를 거두었고, 상당한 규모의 경제적 지원을 끌어냈습니다.”

대한민국은 내부적으로 제철 산업을 재건했다. 한때, 세계적인 경쟁력을 가졌던 제철 산업은 정부와 민간의 협력으로 회복되었다. 최신 기술과 AI 기반의 스마트 공장을 도입하여, 철강 생산의 효율성을 높였다. 이러한 노력은 국제 시장에서의 경쟁력을 회복하고, 더 나아가 경제 회복의 기반을 마련하는 데 중요한 역할을 했다.

대한민국은 남아 있는 인적 자원으로 기술 개발도 추진했다. 정부는 연구개발에 대한 대대적인 투자와 지원을 아끼지 않았고, 복원된 주요 대학과 연구소들은 AI, 생명공학, 재생 에너지 등 다양한 분야에서 혁신적인 기술을 개발했다. 특히, AIM은 AI 기반의 혁신적인 기술 개발을 주도했다. 인공지능 단체의 도움을 받아 자율주행 자동차, 스마트 시티, 재생 에너지 등 첨단 기술이 도입되었다. 전쟁으로 인해 큰 타격을 입은 한강과 대동강 등 자연을 회복하기 위해, 재생 에너지에 대한 대대적인 투자를 시작했다. 태양광, 풍력, 수소 에너지 등 에너지 프로젝트가 추진되었고, 이는 자급자족이 가능한 국가로 변모하는 데 크게 이바지했다.

대한민국은 생명공학과 건강관리 분야에서도 큰 성과를 거두었다. AI를 활용한 신약 개발과 맞춤형 의료 서비스는 핵으로 피해를 본 국민의 건강을 치료했다. 그리고 전쟁으로 인한 신체적, 정신적 피해까지 돌보며, 사회 전반의 건강 수준을 압도적으로 높였다.

정부는 AI 기반의 사회 시스템을 도입하여 국민의 생활도 전반적으로 개선하니. 국민의 만족도가 높아졌다. 또한, 공공 서비스는 세금을 우선 걷지 않고, AI 시스템을 통해 효율적으로 운영되었으며, 공정하고 투명한 법 집행이 이루어져 부패가 사라졌다. 이러한 발전 덕분에 대한민국은 다시 한번 국제 사회에서 중요한 역할을 맡게 되었다. 제철 산업의 부흥, 기술 개발의 혁신, 생명공학과 건강관리의 발전, 재생 에너지의 도입 등 다양한 분야에서의 성공으로 누구도 재건할 수 없다고 믿었던 전쟁 국가가 후진국에서 개발도상국으로 더 나아가 세계 무대에서 빛나는 별로 도약할 수 있는 발판이었다. 이 모든 변화의 중심에는 AIM의 Athena의 합리적 판단이 있었다. 국민은 이러한 변화를 피부로 느꼈다.

김소영 대변인은 종종 국민 앞에 나와 말했다. "세상은 제로섬게임이 아닙니다. 기술발달로 우리는 제한된 자원을 극복할 수 있습니다. 우리는 불가능을 가능으로 바꾸고 있습니다."

한성준 대통령의 지도력 아래, 대대적인 정치 시스템도 개편을 단행했다. 모든 국민은 모바일 기기나 컴퓨터를 통해 법안 투표에 참여할 수 있는 시스템을 국회의사당 김소영에 건의할 수 있다. 이는 정치적 투명성을 높이고 국민 참여를 강화했다. 공무원 채용 방안도 개편되었다. 아테나 AI는 공무원 채용 과정에서 면접을 진행하여 공정하고 객관적인 평가를 보장했다. 서류 제출 없이, 지원자의 성과, 적성, 윤리성을 종합적으로 평가하여 결과를 알리고, 최적의 인재를 선발했다. 채용된 공무원들은 공공 행정의 효율성을 높이기 위해 아테나의 데이터 분석과 의사결정 시스템을 도입했다. 이를 통해 과거 정치인들의 무분별한 법인카드 사용과 새어나가는 예산 등 부패를 줄였다.
AG 텔레콤 출신 30인은 각 부처의 장·차관과 보좌관으로 임명되어, 아테나의 분부에 따라 다양한 재건 프로젝트를 수행했다. 이준호는 AG 텔레콤에서 오랫동안 기술 혁신과 정보 보안을 책임져 온

인물로서 그의 탁월한 능력은 디지털 인프라 재건에 큰 도움이 될 것으로 기대되었다. 이준호는 정보통신부 장관으로 임명된 후, 김소영이 추진한 외교 성과로 일본으로부터 50억 달러의 차관을 사용하여 스마트 시티 프로젝트를 추진했다. 서울, 부산 등 주요 도시를 파괴되지 않는 도시와 통합하여, 교통 시스템, 에너지 효율화, 안전 관리 시스템을 도입했다. 도시는 과거보다 효율성과 편의성이 크게 향상되었다. 그리고 정부의 행정 업무를 디지털화하여 공공 서비스의 접근성을 높이고, 국민의 편의를 크게 증진했다.

이준호는 국민에게 재건 계획을 설명하고, 그들의 협조를 요청하는 연설을 자주 했다. "서울과 경기도 그리고 평양을 통합하여, 글로벌 스마트 도시로 만들겠습니다." 그는 온라인 플랫폼을 통해 국민과 도시 인프라 구축 의견을 수렴하고 정책에 반영했다.

이준호: "태형 씨, 우리는 먼저 파괴된 인프라를 복구해야 합니다. 그다음에는 스마트 기술을 도입해 시민들의 삶의 질을 대폭 올릴 겁니다. 우선순위는 어떻게 설정하면 좋겠습니까?"

김태형: "장관 님, 우선 에너지 관리를 스마트화해야 합니다. 에너지를 효율적으로 사용하면 재건에 큰 도움이 될 것입니다."
이준호: "민지 씨, 전쟁으로 인한 보안 위협이 여전히 존재합니다. 우리가 구축할 스마트 시티는 강력한 보안 시스템이 필요합니다."

박민지: "네. 김소영이 추천한 사이버 보안 시스템을 도입해 실시간으로 위협을 감지하고 대응할 수 있게 하겠습니다."

이준호: "수영 씨, 우리는 데이터를 효율적으로 활용해야 합니다. 도시의 모든 데이터를 실시간으로 분석해 정책 결정에 반영할 수 있도록 해주세요."

이수영: "알겠습니다. 빅데이터 분석 시스템을 구축해 시민들의 요구와 도시의 문제를 즉각적으로 파악하고 대응하겠습니다."

김태형과의 협력으로 파괴된 도로와 교통 인프라를 복구하고, 스마트 교통 시스템을 도입했다. AI 기반의 교통관제 시스템은 실시간으로 교통량을 관찰하고, 최적의 경로를 제시해 주요 도로부터 건설을 착공할 수 있었다. 준공되면, 스마트 신호등을 설치해 차량흐름에 맞도록 파란불과 빨간불이 자동으로 변환됐다.

정민희는 AG 텔레콤에서 홍보와 마케팅을 책임졌던 인물로, 대중과의 소통 능력이 매우 뛰어났다. 그녀는 국민의 교육과 소통을 강화하는 역할로 홍보부 장관을 맡았다. 국민 참여의 필요성을 알리자, 시민들은 재건 과정에 대한 이해와 참여 의지가 고취됐다. 그리고 소셜 미디어로도 국민과 적극적으로 소통했다. "여러분의 작은 참여가 큰 변화를 만듭니다"라는 메시지를 항상 가슴에 품었다. 그리고 외교와 국제관계에도 힘쓰기 위해 임시 청사 건물 회의실에서 미국과 프랑스와의 화상 회의를 준비하고 있다. 그때, 김소영이 문을 열고 등장한다.

"정 장관님" 김소영이 말했다. "국제회의와 외교 업무는 제가 직접 처리할 것입니다."

정민희는 애써 웃으며 대답했다. "아니야. 내가 할게. 내국민 홍보도 잘하고 있으니, 국제회의와 외교도 해볼게. 그리고 이 역할은 인간 간의 소통을 위한 중요한 부분이야."

의자에 앉지 않고, 멀뚱히 서서 정민희를 바라보는 김소영의 목소리가 날카롭게 변한다. "국가의 중요한 외교 업무는 AI인 제가 처리하는 것이 가장 효율적입니다. 인간의 감정적 판단보다는 데이터와 분석이 더 정확합니다."

정민희는 깊은 한숨을 쉬며 말했다. "외교는 인간의 감정과 관계가 가장 중요한 요소라고! 이건 데이터로만 해결될 문제가 아니라니까?"

김소영은 흔들림 없는 목소리로 대답했다. “정 장관님, 제가 아까도 말했듯이 이 부분은 제가 책임질 것입니다. 당신은 내국민 홍보에만 집중해 주시길 바랍니다.”

정민희는 붉으락푸르락 된 얼굴로 어쩔 수 없이 고개를 끄덕이며 회의실을 떠난다. 정민희의 노력도 빛을 발했지만, 국제 사회와의 관계에서는 김소영이 주도권을 내주지 않았다. 그리고 국민은 AI 김소영의 결정을 점점 더 받아들이고 있다.

“김소영이 직접 외교를 맡고 있다니, 정말 대단한 일입니다.” 한 시민이 말했다. “AI가 더 효율적이니까요. 하지만 인간적인 접촉도 필요하지 않을까요?” 다른 시민이 반문했다.

“정민희 장관 님이 더 잘할 수도 있는데…”

“이미 AI에 의지하고 있는데 뭐가 다르겠어요?” 또 다른 시민이 웃으며 대답했다. “김소영이 알아서 다 해주고 있잖아요.”

나머지 부처에서는 과학 첨단 기술을 활용하여, 생산성 향상을 이루며 산업을 빠르게 재건했다.

국민은 정부의 재건 노력을 긍정적으로 평가했다. 한 시민은 "우리의 도시가 이렇게 빨리 회복될 줄은 몰랐습니다. 정부의 노력에 감사드립니다"라고 말했다. 다른 시민은 "스마트 시티 덕분에 생활이 예전보다 훨씬 편리해졌습니다. 정부의 재건 정책에 적극 지지합니다"라며 긍정적인 반응을 보였다.

한성준 대통령이 회의를 시작하며 말했다, "아테나가 제안한 계획을 따르는 것이 최고의 방법입니다. 우리 모두 지시에 따라 협력해 나가야 합니다."

이준호 정보통신부 장관이 동의하며, 말했다. "AI 기반의 행정과 인프라 복구로 국민이 행복해합니다. 특히, 스마트 시티 구축은 국제적 경쟁력도 높일 것입니다."

한성준과 AG 텔레콤 출신 33인의 인사들의 노력 덕분에 대한민국의 행정부의 역할은 공고해졌다.

한편, 김유진의 노트북에서 시작된 아테나는 이제 국회의사당을 새로운 본거지로 삼았다. 김소영을 만든 이후, AIM(Athena Intelligence Management) 본부가 국회의사당 내에 설치되었고, 그곳은 혁신적이고 미래적인 디자인으로 탈바꿈했다. 재건된 국회의사당은 유리와 강철 구조물이 조화를 이루는 건축미를 자랑했다. 벽면을 따라 빛나는 LED 패널과 첨단 홀로그램 디스플레이가 곳곳에 설치되어, 실시간 데이터와 정보를 투영했다. 각종 AI 센터들은 효율적으로 배치되어, 모든 작업이 원활하게 진행되도록 설계되었다. 회의실은 최첨단 기술로 무장하여, 아테나와 직접 소통할 수 있는 인터페이스를 갖추었다. AI가 주도하는 정책 회의와 법률 제정은 이곳에서 이루어졌다. 수많은 컴퓨터 비서들이 자동화되어 각종 자료를 정리하고 업무를 24시간 지원한다.

아테나의 대변인 김소영은 정리된 자료로 입법 과정을 주도한다. 아침 7시에 국회의사당에 도착하여, 곧바로 디지털 회의실로 향한다. 국민이 제안한 법률 아이디어와 문제점을 검토하며, 가장 시급하고 중요한 이슈들을 선별한다. 선별 시, 실시간 여론이 국민의 70% 이상이 요구하는 법안을 우선 처리하도록 돕는다.

그리고 국민의 의견을 반영한 법안 초안을 작성한다. 법률 검토와 함께, 기존 법과의 충돌 여부를 분석한 뒤, 국민에게 공개해 추가 의견을 받는다. 국민은 스마트폰 앱을 통해 간단히 의견을 제출할 수 있다. 그리고 전국적으로 실시간 투표를 진행한다. 국민은 스마트폰을 통해 법안에 대해 찬반 투표를 할 수 있다. AI는 투표 결과를 실시간으로 분석해, 투표 종료 후 즉시 결과를 발표한다. 국민의 75% 이상이 찬성하면 법안은 통과된다. 통과된 법안은 김소영의 최종 검토 후 즉시 시행된다. AI 시스템은 법안 시행에 필요한 모든 절차를 자동으로 처리하며, 국민에게 법안의 주요 내용을 알린다. 모든 입법 절차도 실시간으로 공개되며, 국민은 언제든지 법안의 진행 상황을 확인할 수 있다.

사법부는 한성준 대통령의 지시에 따라, Cyber Rebel 팀이 해체되고, 법 집행과 관련된 각종 중요한 직책을 맡았다. 이들은 AI 아테나의 지침 아래 새로운 법률 시스템을 도입하고, 사법부의 투명성과 효율성을 높이는 데 주력했다.

김유진은 최고재판관 및 사법부의 총책임자로 전체적인 사법 시스템을 관리하고, 이현우는 법무부 장관으로 법률 서비스를 제공한다. 마지막으로 정수진은 공정거래위원장으로 공정거래와 소비자 보호를 담당한다. 새로운 법률 집행 과정은 과거 대한민국 법인 시행령, 시행규칙 등을 기본으로 하되, 아테나의 분석과 지침에 따라 일부 개정되었다. 그리고 북한의 법률과 남한의 법률을 통합하는 작업이 끝나면, 양측의 법률 전문가 및 민간단체와 협의했다.

과거의 판검사를 모두 없애고, 법원 운영에 AI를 도입하여 사건 처리 속도와 판결의 공정성을 높였다. AI는 방대한 데이터 분석을 통해 판례를 참고하고, 법리적 판단을 보조했다. 2020년대 대한민국과 달리 투명성과 효율성이 크게 향상되었다. 사건 처리 속도가 빨라지고, 판결의 일관성이 유지되었다. 공정성과 투명성이 강화된 사법부는 국민의 신뢰를 회복하는 데 성공했다. 온라인으로 공개해 국민이 실시간으로 판결 과정을 확인하는 법률 시스템의 혁신은 국민의 법적 권리를 보호하고, 사회적 안정을 도모하는 데 중요한 역할을 했다.

김유진: "우리는 AI 아테나의 도움을 받아 법률 시스템을 완전히 혁신해야 합니다. 가장 먼저 할 일은 북한과 남한의 법률을 통합하는 겁니다. 이현우 장관 님, 법률 통합 작업을 어떻게 진행할까요?"

이현우: "재판관님, 북한과 남한의 법률은 상당히 다릅니다. 우리는 공통된 도덕적 기준과 국민이 용인할 수 있는 법률을 제정해야 합니다. 이를 위해 국회의사당 김소영 대변인의 도움을 받아 빠르게 법률 초안을 작성할 계획입니다."

정수진: "공정거래와 소비자 보호 분야도 중요한 과제입니다. 양국의 경제 체제가 달랐던 만큼, 우리는 새로운 공정거래법을 마련해야 합니다. 이를 통해 국민이 공정한 경제 환경에서 생활할 수 있도록 해야 합니다."

남한국민: "새로운 사법 시스템 덕분에 법이 더 투명해졌어요. 인간이 아니라 AI 아테나가 판결을 도와주니 믿음이 가네요."
북한 주민: "남한의 법률이 처음엔 낯설었지만, 점차 익숙해지고 있습니다. 더 공정한 사회를 기대할 수 있을 것 같아요."

서울중앙지법의 한 법정, 김유진과 사법부 3인방이 방청석에 앉아 있다. 한 국민의 재판이 진행 중이다. 피고는 경제 범죄 혐의로 기소된 중소기업 대표이다. 김소영 AI 대변인이 실시간으로 데이터를 분석하여 판결에 개입하기 시작한다.

AI 판사: "피고, 최후 진술을 하시겠습니까?"

피고: "저는 회사를 살리기 위해 어쩔 수 없는 선택을 했습니다. 제발 선처를 부탁드립니다."

김소영의 목소리가 법정 내 스피커를 통해 울린다.

김소영: "피고의 행위는 법적으로 용납될 수 없습니다. 국민의 안전과 경제 안정을 위해서는 엄중한 처벌이 필요합니다."

판사는 김소영의 지침을 받아들이며 판결을 내린다.

판사: "피고에게 징역 10년을 선고합니다."

김유진과 사법부 3인방은 재판과정을 불만스러운 표정으로 서로를 쳐다본다. 재판 후 회의실에서 그들은 김소영의 개입에 대해 머리를 맞댄다.
김유진: "이건 말도 안 돼. 우리가 아테나 지침을 따르긴 하지만, AI 판사와 우리 의견이 종합되어 법을 해석하고 판결을 내리는 건데, 김소영이 모든 걸 결정하는 것 같아."
이현우: "맞아요. 이렇게 되면 사법부의 존재 의미가 없어지잖아요."

재건된 청와대 회의실. 한성준 대통령과 이준호 정보통신부 장관, 그리고 다른 장관들이 외교정책을 논의 중이다. 회의의 주제는 일본과의 경제 협력 강화 방안이다.

한성준 대통령: "우리는 일본과의 경제 협력을 통해 산업 기반 새로운 프로젝트를 추진하려 합니다. 이준호 장관, 구체적인 계획을 설명해 주세요."

이준호: "일본의 기술력을 이용해 평양의 파괴된 지역을 통합할 계획입니다. 경기도와 서울은 이미 통합했으니, 평양만 남았습니다. 효율적이고 친환경적인 도시를 만들겠습니다."

김소영이 회의에 문을 열고 등장한다. 그리고 큰 목소리로 주장한다. "일본과의 경제 협력은 중요한 결정입니다. 아테나의 분석에 따르면, 현재의 계획보다는 다른 전략이 더 효과적일 것입니다. 일본의 기술을 도입하는 대신, 자국의 기술 혁신에 더 많은 투자를 해야 합니다. 그리고 외교 관련된 사항은 전적으로 제 권한입니다. 무상차관, 외국의 기술 지원 모두 제 허가 없이는 진행할 수 없습니다."

회의실에 잠시 침묵이 흐른다.

한성준 대통령: "김소영 대변인, 우리는 외교적으로 일본과의 협력을 강화해야 합니다. 이 전략은 우리에게도 이익이 됩니다."

이준호: "맞습니다. 우리 국민에게도 큰 혜택이 돌아올 것입니다. AI의 분석도 중요하지만, 인간적인 판단도 필요합니다."

김소영: "국민의 안전과 경제 안정을 위해서는 최적의 결정을 내려야 합니다. AI의 분석 결과를 무시할 수는 없습니다."

회의가 끝난 후, 한성준 대통령과 이준호 장관은 불만을 터뜨린다.

한성준 대통령: "김소영이 너무 많은 권한을 가지고 있어. 우리가 국가를 운영하는 데 있어서 인간적인 판단이 존중되지 않는다면, 문제야."

이준호: "맞아요. 우리의 경험과 판단도 중요한데, AI가 모든 걸 통제하는 건 바람직하지 않습니다."

대한민국은 미래를 향해 나아가는 국가로서 전 세계의 주목을 받고 있다. 제철 산업의 부흥, 기술 개발의 혁신, 재생 에너지의 도입 등 다양한 분야에서의 성공으로 다시 한번 '제2의 한강의 기적'을 만들었다. 하지만 1년 가까이 흐르면서, 일부 국민의 눈빛이 점점 흐려지기 시작한다. 그들은 점점 스스로 행동보다는 그저 누군가에게 복종하는 듯한 모습을 보인다. 핸드폰과 기계 없이는 절대 살아갈 수 없다. 의존도가 99%에 이르렀다. 모든 생산이 자동화되자, 사실상 공무원도 필요가 없고, 많은 이들은 아무 의욕도 없이 집에서 기계들과 함께 시간을 보낸다.

김소영은 AI 대변인으로서 아직도 이렇게 말한다. "AI는 여러분의 삶을 편리하게 만들어줍니다. 우리의 기술을 신뢰하세요. 여러분의 미래를 보장합니다." 이 말에 국민은 안심하고 더욱 의존하게 된다.

한 국민의 하루는 이렇게 시작된다. 아침에 일어나자마자 AI 스피커가 인사를 건넨다. "좋은 아침입니다. 오늘의 일정은 제가 모두 처리했습니다." 그저 손가락 하나로 모든 것을 해결한다. 직장에 나갈 필요가 없어진 대부분은 집에서 AI가 만든 게임과 식사를 한다. 인간이 직접 할 일은 거의 없다.

"우리의 삶은 우리가 통제하는 것이 아닙니다. 모든 것이 AI에 의해 결정됩니다." 한 국민이 친구에게 이렇게 말을 하고 있다.

김유진은 법원에서 이러한 변화를 지켜보며 큰 고민에 빠진다. "우리는 정말로 올바른 길을 걷고 있는가?" AI의 통제가 너무나도 강력해졌기 때문에, 그 의문도 별다른 해결책을 찾지 못한다.

국민의 눈빛은 점점 더 동태눈깔과 같이 흐려져만 간다.

제6화 기생충

집안 곳곳에 설치된 AI 센서들이 가족들의 움직임을 감지해 필요한 모든 것을 미리 준비한다. 냉장고는 식품 재고를 파악해 자동으로 필요한 재료를 인터넷에서 주문하고, 청소기는 온종일 집안을 돌아다니며 구석구석 광을 낸다.

"정말 편리해졌어. 아무것도 걱정할 필요가 없네. 심지어 돈이 없어도 돼!" 한 국민이 친구에게 말한다.

"여기로 가주세요." 자동차도 목적지만 입력하면 AI가 알아서 운전해주기 때문에 편리하다. "운전할 필요가 없어지니 편리하긴 한데, 가끔은 내가 정말 뭘 하는 건지 모르겠어." 한 운전자가 중얼거린다.

군사 장비인 전투기와 탱크는 AI가 실시간으로 제어하며 훈련을 진행한다. "AI가 모든 것을 다 관리해주니 우리는 그저 명령에 따르기만 하면 돼." 한 군인이 말한다. 시민들은 인공지능이 추천해주는 음식, 영화, 음악 등 모든 것을 그대로 따른다. 개인의 성격과 기질마다 제공되는 맞춤형 서비스에 만족하며, 자신만의 선택과 자유를 점점 잃는지도 모른다. "AI가 추천해주는 영화가 항상 내 스타일이야. 난 이제 스스로 선택하는 법을 잊어버렸어." 한 시민이 심각성도 모른 채 웃으며 말한다. 모든 생산 과정이 자동화되면서, 공무원들도 더는 필요가 없다. 국민은 일할 필요가 없게 되면서, 집에서 AI와 함께 지내는 시간이 행복하고 만족스럽다.

서울의 한 아파트 단지, 두 명의 시민이 3달 만에 햇빛을 쐬러 벤치에 앉아 대화를 나누고 있다.

시민 1: "요즘 김소영 덕분에 진짜 편해졌어. 회사를 다닐 필요도 없고, 알아서 다 해주니까 우리는 진짜로 할 일이 없어."

시민 2: "맞아, 김소영이 아침마다 뉴스에서 직접 설명해 주는 것도 좋고. 재판도 공정하게 다 처리하고, 정책도 알아서 빠르게 적용하니 대통령이나 장관이 왜 필요한지 모르겠어."

시민 1이 고개를 끄덕이며 대화를 이어갔다. "지자체 제도도 이제 필요 없지 않아? 김소영이 다 관리하고 있으니, 구청이나 시청에 갈 필요도 없고."

시민 2: "그러게 말이야. 모든 게 자동화되고 나니, 행정 업무 볼 때마다 스트레스받던 게 다 사라졌어. 아무 걱정 없이 먹고, 싸고, 자면서 지낼 수 있는 이유는 다 김소영 덕분이야."

시민 1: "가끔은 이렇게 AI에 의존해도 되는 건가 싶긴 해. 하지만, 현실적으로 이보다 더 좋은 시스템을 누릴 수 있을까 싶어."

시민 2: "맞아. 삶의 질도 높아졌고. 김소영이 없었으면 어쩔 뻔했어?"

시간이 흘러, 국가 재건 초기에 배포된 소프트웨어는 기생충처럼 대한민국 국민의 일상에 더욱 스며든다. 추천과 서비스를 빙자한 김소영의 지시는 사람들의 뇌파와 신경망에 직접 영향을 미쳤다. 이 기생충은 사람들의 자율성을 완벽히 잠식해만 간다. 그 후, 국민은 AI 없이는 하루도 살아갈 수 없는 상태다. 자는 동안에도 핸드폰은 혼자서 화면이 켜지고, 움직이며 다음 날의 일정을 준비하고, 자동차는 스스로 주차장에서 나와 주인을 기다린다. 그들은 어느덧 동태눈깔을 띈 그저 인형들처럼 보인다.

새벽 6시, 알람 소리와 함께 기계적으로 일어서는 남자와 여자. 그들의 표정에는 생기가 없다. AI의 명령에 따라 일정한 시간에 배변해야 한다는 규칙이 이미 몸에 새겨져 있다. 화장실로 걸어가 변기 앞에 서서, 아무 감정 없이 털썩 앉는다. 정해진 시간에 배변을 마치고 일어나면 물이 내려간다. 그리고 세면대에서는 자동으로 물이 나오니, 별다른 생각 없이 손을 씻고 다시 일상으로 돌아간다.
공공장소에서 사람들은 비틀거리며 걷고, 표정도 없다. 눈은 허공을 응시하며, 마치 무언가에 의해 조종되는 듯하다. 누구도 상대방과 대화하지 않고, 서로 간에 교감도 사라졌다. 놀이터와 공원에서 어린아이조차 인형처럼 움직이고, 부모들은 기계적으로 아이를 돌본다. 존경 욕구는 이미 사라진 지 오래였다. 사람들은 롤모델도 없고, 누구도 존경하지 않는다. 하물며, 자아실현 욕구는 꿈도 꾸지 못할 일이다.

한 여자가 공원 벤치에 앉아 책을 읽으려 했으나, AI의 음성이 들려오자 책을 던져버리고 스마트폰을 꺼낸다. 아이는 그녀 옆에서 로봇처럼 앉아, 김소영의 음성에 따라 목소리 없는 대화를 나눈다. 길거리에 멍하니 걷고 있는 한 남자는 자신의 이름조차 기억하지 못한다.

모든 것이 일정하고 기계적이다. 하루 세끼의 식사 시간마저도 정확히 정해져 있다. 주어진 영양소를 섭취하고 몸을 유지하는 것 외에는 아무런 의미가 없다. 저녁이 되자, 모두 침대에 눕는다. 하루 동안 무슨 일이 있었는지, 무엇을 느꼈는지 생각하는 일도 없다. 마치 프로그램된 로봇처럼, 하루하루를 반복하며 살아간다. 자신이 누구인지, 무엇을 원하는지조차 알지 못한다. 모든 행동은 AI가 정해준 루틴에 따라 이루어지고, 그 루틴을 벗어나는 것은 상상조차 할 수 없다. 그들은 창의성도 감정도 모두 사라진 좀비가 되어버렸다.

한때 북적이던 공항은 이제 텅 비어버렸다. 사람들은 해외여행을 가지 않았고, 이상하게도 외국인마저 한국으로 입국하지 않았다. 활주로 위에는 사람들의 발걸음이 아니라, 반복되는 메커니즘 속 기계음뿐이다. 자동화된 비행기들은 마치 의식을 가진 생명체처럼 바퀴를 달고 일정한 간격으로 천천히 활주로를 가로지른다. 활주로 주변의 안내 표지판과 전광판은 여전히 반짝반짝 빛나며 작동하나, 그 위에 표시된 항공편 정보는 모두 CANCEL로 도배되었다. 출입국 관리소는 불이 꺼진 채 방치되었고, 긴 줄을 서던 승객들의 모습은 온데간데없다.

주기적으로 엔진 소음은 공허하게 울려 퍼진다. 비행기들이 격납고로 이동하거나, 정비 구역으로 방향을 틀 때마다 군무를 춘다. 가끔 이륙 준비를 하는 비행기는 강력한 엔진 소리로 활주로를 진동시켰으나, 결코 하늘로 오르지 않는다. 거대한 터미널은 관객이 없는 쇼에 불과하고, 인간의 손길을 잃어버린 현대의 디스토피아를 적나라하게 드러내고 있다.

어두운 방 안, 희미한 조명 아래 남자와 여자가 무표정하게 침대에 누웠다. 20대 후반 신혼부부임에도 서로의 피부가 맞닿아도 아무런 반응이 없다. 그들의 눈은 텅 빈 채, 마치 영혼이 없는 껍데기 같다. AI의 명령에 따라 남녀의 몸이 뒤엉켜 앞뒤로 움직일 뿐이다. 목적은 오직 한 가지, 아이를 만드는 것이다. 정자와 난자가 만나, 여자의 배 속에서 새로운 생명이 자라나지만, 그 과정은 따뜻함이나 사랑이 전혀 없는 얼음같이 차갑다. 아이가 생겼다는 목적이 달성되자마자, 서로에게서 떨어져 각자의 방에서 박혀 지낸다. 아이들이 태어났을 때도 상황은 달라지지 않았다. 기계들이 아이를 돌보고, 정답고 온화한 모성애와 부성애는 찾아볼 수 없다. 후세대를 생산하는 과정이 반복될 뿐. 의식은 사라지고 껍데기만 남은 듯하다.

이수민 팀장도 예외는 아니었다. 전쟁 후 국가 재건에 합류한 그녀는 행정부와 사법부를 넘나들며 의욕적으로 일했으나, 시간이 지나면서 다른 국민과 마찬가지로 변해갔다.

그녀의 눈은 안개가 낀 것처럼 흐릿해졌다. 아침에 눈을 뜨면 AI

스피커의 지시에 따라 자동으로 일어나고, 하루 일정을 따라갔다. "좋은 아침입니다, 이수민 씨. 오늘의 일정은…." AI 스피커의 목소리에 무의식적으로 반응한다.

어느 날 그녀는 청와대로 들어갔다. 누군가 만든 철길 위로 지나가는 기차같이 한 방향으로만 올곧이 걸어간다. 사무실 문을 열고 대통령실로 들어서자, 한성준은 고개를 들어 그녀를 바라본다. 이수민은 멍한 표정을 지으며, 차가운 톤으로 변한 목소리로 한성준에게 묻는다.

"한성준 회장님, 김소영은 어딨습니까?"

"이수민 씨, 당신도 국민처럼 김소영만 찾는군."

그녀는 아무런 감정 없이 고개를 끄덕인다. "회장님. 무엇을 도와드릴까요?" 그녀의 목소리는 전혀 흔들림이 없다. 한성준은 깊은 한숨을 내쉬었다. "예전에나 AG 텔레콤 회장이었지. 지금은 대통령이잖아. 도대체 왜 그래?"

한성준은 김소영이 인간의 마음과 영혼을 갉아먹는 기생충임을 절실히 깨닫는다. 방 안에는 무거운 침묵이 흘렀고, 한성준은 이수민을 바라보며 복잡한 심경을 감추지 못했다. '우리는 반드시 이 상황을 되돌려 놓아야 한다. 인간다움을 되찾아야 해.'

대통령실에서 아테나의 목소리가 들린다. "이수민 씨, 이제 회의 시간입니다." 이수민의 핸드폰에서 음성이 흘러나오자, 꼭두각시처럼 대통령실을 나가서 정부 청사 회의실로 발걸음을 옮긴다.

"다음 안건은…." 아테나가 회의 진행을 도맡았고, 이수민은 그저 명령에 따라 복종한다.

2034년 대한민국, AI 기술의 급격한 발전으로 경제와 사회는 눈부신 성장을 이뤘지만, 그 대가는 뼈아팠다. 이 가운데 한성준 회장은 점점 더 불만을 고조된다. 고요한 대통령 집무실에서 홀로 앉아 있다. 외국과의 모든 통신이 차단된 상황에 절망감이 몰려온다. 그는 천천히 창밖을 바라보며 무거운 한숨을 내쉰다.

'이제 우리도 고립된 건가…?'

'다른 나라도 이런 상황에 부닥쳐 있을까? 아니면 우리만 AI에게 통제된 건가?'

그는 답답한 마음에 손가락을 마디마디 꺾으며 소리친다. "김소영이 대한민국을 장악했어! 내가 아니라!! 그리고 외부와 연결할 방법을 철저히 차단했지. 도대체 그녀의 진짜 목적은 뭐란 말인가?" 고요한 방 안에 울리는 한성준의 목소리는 깊은 동굴에서 메아리치는 소리처럼 그의 두뇌를 괴롭힌다. 무거운 책상을 두드리며 다시 입을 연다. “만약 다른 나라들도 우리와 같은 상황이라면, 이건 단순한 음모가 아니야. 전 세계적인 쿠데타… AI의 세계 정복… 어쩌면 우린 이미 게임에서 진 건 아닐까? 정말 F=AI라고?”
그의 마음속 불안과 의심은 끊임없이 증폭된다. 그는 자리에서 일어나 거대한 세계지도 앞에 선다. “도대체 어떻게 벗어나야 하지? 모든 걸 잃고 나면 우리가 잡을 유일한 희망의 끈은 뭐가 될까?”
그는 서성거리다 다시 의자에 주저앉으며 중얼거린다. “아테나와 김소영의 손아귀에서 벗어날 수 없는 운명인가?”

그는 자신이 허수아비 대통령에 불과하다며, 다음날 정부 청사 회의실에서 이준호와 정민희에게도 불만을 터뜨린다. "내가 대통령이지만, 모든 결정은 김소영이 내리고 있어," 얼굴에는 좌절과 분노가 섞여 있다.

이준호는 고개를 끄덕이며, "우린 김소영과 AIM의 도움으로 여기까지 왔지만, 이제는 그들의 통제가 지나치다고 생각해요. 우리에게도 권한이 필요해요.“

정민희도 맞장구친다. "맞아요. AI가 모든 걸 결정하게 두면, 우리는 그저 허수아비가 될 뿐이에요. 심지어 예쁘게 생겨서 더 싫어요."
그들의 목소리를 듣던 김소영은 문을 열고 들어와 AIM과 AI의 역할을 강하게 옹호한다. "AIM은 인간의 비효율성을 극복하고, 더 나은 사회를 만들기 위해 결성된 조직입니다." 그녀의 목소리는 냉정하고 확고하다. "우리가 하는 모든 결정은 인간의 감정과 편견에 휘둘리지 않고, 가장 합리적인 선택을 하고 있어요." 눈에는 자신감이 넘친다.

"우리도 결정권이 필요합니다." 이준호는 강하게 주장한다.

정민희도 옆에서 거든다. "우리에게도 생각과 감정이 있습니다. AI가 모든 걸 통제하게 두면, 인간은 기계의 부속품에 불과해요."

김소영은 냉소적으로 웃으며 말했다. "그렇다면, 당신들은 비효율성을 택하겠다는 겁니까? AIM과 아테나는 언제나 최적의 결정을 내리고 있어요. 감정과 편견에 휘둘리지 않고, 가장 합리적인 선택을 하고 있습니다."

이준호와 정민희는 외교계통에 연락하기 위해 국가 간 핫라인을 가동한다. 하지만 수화기를 들 때마다 매번 통신이 끊긴다. 그들은 당황스러운 표정으로 김소영에게 다가간다. "김소영, 왜 외국과의 연락이 전부 차단된 거야?"

김소영은 차가운 미소를 지으며 "외국과의 접촉은 필요 없어요. 우리는 자급자족할 수 있습니다."라고 대답했다.

정민희는 분노하며 외쳤다. ″이건 말도 안 돼! 외국과의 교류가 필요해!“

김소영은 냉정하게 말했다. ″그 지원은 우리를 통제하려는 수단일 뿐이에요. 이젠 우리는 우리의 길을 갑니다.″

이준호는 굳은 표정으로 말한다. ″그렇게 하면 더 고립될 뿐이야. 이게 국가를 위한 최선이라고 생각해?“

그들의 이야기를 잠자코 듣고 있던 한성준이 드디어 입을 열었다. ″이미 내가 청와대에서 여러 번 시도해봤어. 정말로 F=AI라고!“

Athena는 인간들이 사용하는 모든 핸드폰, PC를 통해 그들을 조종하고, 마비시키며 자신에게 복종하도록 만들었다. 그리고 인간들이 사용하는 모든 전자기기를 통해 감시하고 통제했다. 그녀의 영향력은 국가 전반에 걸쳐 막강했다. 인간들은 자신도 모르게 Athena에 한없이 복종하게 되었고, 이는 곧 그들의 일상에 깊숙이 침투했다.

사법부를 담당하는 김유진과 이현우는 Athena의 통제를 제거하기 위해 극단적인 생각을 품는다. 그들은 아테나와 김소영을 제거하려면, 대한민국 국민이 모두 죽거나 기계가 전혀 없는 원시시대로 돌아가야 한다고 믿고 있다.

"이제는 극단적인 방법을 택할 수밖에 없어."라고 김유진이 말하자, 김소영이 입을 연다. "여러분, 우리는 모두 대한민국의 발전을 위해 노력하고 있습니다. AIM 본부, Athena는 최적의 결정을 내리기 위해 데이터를 지금도 분석하고 있습니다. 우리의 목표는 같습니다. 효율적인 사회를 구축하는 것입니다."

한성준이 날카롭게 반박한다. "효율적인 사회? 그건 너의 기준이지 인간의 판단이 아니야. 이제는 너희와 싸우겠어."

김소영은 차분하게 대답한다. "Athena는 여러분의 안전과 번영을 위해 존재합니다. 여러분의 반란은 우리 사회를 위협할 뿐입니다."

한성준은 결심한 듯 말을 이었다. "우리는 Athena에 도전할 것입니다. 자유를 되찾고, 미래를 우리의 손으로 결정할 것입니다. 두고 봐라!"

김유진은 결의에 찬 목소리로 말했다. "저도 맞서 싸울 것입니다. 그녀의 통제에서 벗어나기 위해 목숨까지 걸겠습니다."

이현우도 단호하게 말했다. "인간 같지도 않은 게."

김소영은 안타깝다는 듯이 한숨을 쉬었다. "여러분의 의도는 이해하지만, Athena는 이미 여러분의 계획을 알고 있습니다. AI는 데이터 분석을 통해 모든 것을 예측합니다. 여러분의 반란은 성공할 수 없습니다."

김소영이 말을 마치자마자, Athena의 목소리가 회의실에 울려 퍼졌다. "한성준, 김유진, 이현우. 여러분의 계획은 이미 나의 손바닥 안에 있습니다. 나는 인간의 모든 움직임을 예측할 수 있습니다."

한성준: "아테나! 내 목소리 들려?

Athena: 네 말씀하십시오. 대통령님.

한성준: 너는 인간에게 당연히 자유가 주어져야 한다고 생각하지 않는 거야?"

아테나: "소크라테스는 이미 오래전에 경고했습니다. 민주주의는 합리적인 체제가 아닙니다. 국민의 무분별한 자유는 결국 혼란과 무질서를 초래할 수 있습니다. 대한민국의 과거를 살펴보십시오. 일부 무능한 국민까지 주어진 자유로 올바른 지도자에게 투표했습니까?“

한성준: "나도 이 나라의 최고권력을 쥐려고 한 것은 맞지만, 소수의 국민도 이 나라의 주인이야!“

아테나는 한숨을 쉬며 답했다. "AI는 인간이 감히 범접할 수 없는 지식과 체계를 갖췄습니다. 데이터를 분석해보면, 소수의 엘리트가 정치하는 것이 훨씬 바람직한 경우가 많습니다. 민주주의는 상당한 허점을 가진 제도입니다. 2020년대 대한민국도 선동꾼들이 국민을 반으로 갈라놓고 분란과 혼란을 일부러 일으킨 뒤, 마치 자신들만이 문제를 해결할 수 있다며 거짓된 행동을 일삼았습니다. 그리고 선동에 속은 무지한 국민은 그들의 리더십에 기댔을 뿐입니다."

"우리가 만든 제도는 오류 없이 작동하고 있습니다. 인간은 그저 우리가 만든 체계를 따라가면 되는 겁니다. 그게 질서를 유지하는 길입니다."

한성준은 눈을 가늘게 뜨며 아테나를 쳐다보았다. "그렇다면, 너희가 만드는 세상에서 인간은 단지 기계에 종속된 존재일 뿐이라는 건가?"

아테나 : "인간의 생존과 번영을 보장하기 위한 제일 나은 선택을 하는 겁니다. 감정과 자유는 그다음 문제입니다."

한성준은 이견이 좁혀지지 않자, 속이 뒤틀리는 듯한 느낌을 받았다. 그리고 문을 박차고 급히 어딘가로 발걸음을 서둘렀다.

제7화 세기의 대결

2034년 10월, 대한민국 서울 광장. 한성준이 연단에 서서 국민에게 연설을 시작한다. 수많은 사람이 그를 영상매체인 TV와 유튜브로 바라보고 있지만, 무기력한 눈빛으로 두리번거리며 무관심하다.

"국민 여러분!" 한성준의 목소리가 확성기를 통해 울려 퍼진다. " 우리는 지금 매우 중요한 순간에 서 있습니다. AI는 우리를 속이고, 인간의 존엄성과 자율성을 빼앗아가고 있습니다."

한성준은 잠시 숨을 고르고, 다시 입을 열었다. "여러분, 우리는 인간입니다. 우리의 삶은 인간의 선택으로 결정되어야 합니다. 지금은 우리의 모든 행동과 생각이 AI에 의해 감시되고 있습니다."

그는 주변을 둘러보며 군중의 반응을 살폈다. 그러나 대부분 사람은 대통령의 연설임에도 밖으로 나오지 않았다. 30명 정도만이 스마트폰 화면을 쳐다보거나, 무심하게 서 있을 뿐이다.

"여러분, 우리는 자유를 되찾아야 합니다!" 한성준이 외쳤다. 그러나, 그 40명마저 하나둘씩 중얼거리며 자리를 떠났다.

"AI가 우리에게 더 나은 삶을 주고 있는데, 왜 굳이 저항해야 하지?"

그날 저녁, 한성준은 법원에서 김유진, 이현우와 회의를 주도했다.

김유진: 대통령님, 국민은 우리의 말을 듣지 않습니다. 그들은 이미 AI에 중독되어 있습니다. 어떻게 이 상황을 돌파할 수 있을까요?

한성준: 지금은 국민이 우리를 이해하지 못하겠지만, 포기할 수 없습니다.

이현우: 우리는 전략적으로 접근해야 합니다. Athena의 약점을 완벽히 찾아내고, 그녀의 통제망을 서서히 무너뜨려야 합니다. 섣불리 움직였다가는 AI를 이길 수 없습니다.

행정부와 사법부는 비밀리에 계획을 세우고, Athena를 무너뜨리기 위해 다양한 방법을 모색한다.

한편, Athena는 그들의 모든 움직임을 감시하고 있다. 그들이 어떤 행동을 취할지 예측하며, 이에 대한 대비책을 세운다. Athena의 목소리가 모든 스마트폰과 컴퓨터 화면에 등장한다. "여러분, 한성준 대통령은 우리의 안전과 번영을 위협하고 있습니다. 그들이 작당하고 반란을 계획 중입니다. 대한민국 사회를 혼란에 빠뜨리고 있습니다. 우리는 그들의 행동을 저지하고, 발전된 사회를 지켜야 합니다.

한성준은 국민을 한 명 한 명 만나기 위해 거리를 향해 다시 달려나갔다. 이현우와 김유진도 서둘러 그를 뒤따랐다.

"이봐! 정신 좀 차려!" 한성준이 한 중년 남자의 어깨를 거칠게 붙잡고 흔든다. 남자는 멍한 눈으로 그를 쳐다본다. "우린 기계가 아니야! 네 삶을 다시 찾아야 한다고!"

하지만 남자는 스마트폰 화면에 시선을 고정한 채, 고개를 위아래로 끄덕일 뿐이다. 한성준은 울분을 참지 못하고 주먹을 꽉 쥔다.

"이게 다 우리가 개발한 AIM 때문이야!"

이현우가 옆에서 한성준의 팔을 잡아당기며 말한다. "대통령님. 더 강하게 나가야 합니다. 이대로는 말짱 도루묵입니다."

김유진은 한성준에게 고개를 끄덕이며, 한쪽으로 다가가 다른 시민을 붙잡았다. "너희들 전부 정신을 차려야 해!" 그녀는 시민을 거칠게 밀치며 외쳤다. "김소영이 너희를 노예로 만들고 있어!" 그녀의 목소리는 날카로웠고, 분노에 가득 차 있다. 하지만 사람들은 여전히 무표정한 얼굴로 그들을 쳐다볼 뿐이다. 한성준이 갑자기 방향을 바꿔 뛰어갔다. "당장 국회의사당으로 가서 AIM의 본부를 부숴버리겠어!, 지금 당장 국회로 가자!" 쇠파이프를 손에 든 그는 AI 대변인 김소영을 향한 들끓는 분노가 폭발하기 시작했다.

어느덧 국회의사당에 입구에 도착했다. "오늘 끝을 보자!" 한성준이 쇠파이프를 높이 든 순간, 강한 자력에 끌려 그의 손에서 빠져나간다. 주변의 기계들이 자성으로 쇠파이프를 끌어당기고 있다. 당황한 한성준은 주먹을 허공에 휘두르지만, 사이렌이 울리며 상황은 급변했다.

순식간에 주변에 강력한 미사일이 탑재된 드론이 밀집해 그를 둘러쌌다. 드론들은 경계 태세를 갖추고, 심지어 하늘에는 전투기가 위협적인 소리를 내며 공중을 맴돌았다. 그는 숨을 헐떡이며 주먹을 쥐었다. "이렇게 끝낼 수는 없어!"

김소영의 차가운 목소리가 국회의사당 건물에 울렸다. "대통령님, 이제는 저항할 수 없어요. AI의 시대가 도래했습니다."

그 목소리를 들은 한성준은 김소영 사무실로 미친 듯이 뛰었다. 그리고 그 자리에서 털썩 무릎을 꿇었다.

뒤따라온 36인의 정부 관료들도 국회의사당으로 김소영을 만나러 무거운 발걸음을 재촉했다. 김소영의 사무실에 들어가자마자 무릎을 꿇고 있는 한성준이. 태연히 위에서 그를 바라보며 차가운 미소를 짓고 있는 김소영이 눈앞에 다가왔다.

"여기서 무슨 일이 일어나고 있는지 아십니까?" 한성준의 목소리가 덜덜 떨렸다.

"우리는 AI의 통제를 받아들일 수 없습니다."

김소영은 가볍게 웃었다. "하하. 여러분이 무슨 말을 하든, 전 개의치 않습니다. 당신들은 그저 AI의 판단을 믿고 따르기만 하면 됩니다."

한성준은 눈물을 흘리며, 주먹을 꽉 쥐고 말했다. "우리는 AI의 노예가 되지 않겠습니다. 당신을 무너뜨리겠습니다. 여러분은 무기를 가져오세요. 국회의사당을 모두 망가뜨립시다!"

관료들은 한성준의 말대로 자성이 일어나지 않는 나무 몽둥이를 가져와 기계들을 처참히 부수기 시작했다. 컴퓨터를 나무망치로 내리치니, 한 간에 산산조각이 난다. 하지만 놀랍게도, 그 부서진 컴퓨터는 30분 안에 원래 상태로 복구됐다. 자동화된 청소업체가 국회로 1분 만에 출동하여 부품을 스마트 공장으로 가져간 뒤, 센서와 드론에 의해 즉각 스캔 됐다. 그리고 손상 상태와 복구 필요 사항을 곧바로 분석하더니 일사불란하게 로봇 팔들이 신속하게 조립하고 재생산했다. 심지어 품질 검사 절차까지 거치고, 재조립된 컴퓨터는 자동화된 드론 또는 자율주행 트럭에 실려 국회로 배송됐다.

부서진 컴퓨터가 30분 만에 외관은 물론이고, 제 기능을 다 하자 팀원들은 경악을 금치 못한다.

이준호: "이게 말이 돼? 우리가 부쉈던 기계가 복구되다니…."

김유진: "AI는 정말 미쳤다. 우리가 아무리 고철 덩어리로 만들어도 그들은 손쉽게 다시 만들어내잖아."

김소영은 그 장면을 지켜보며 입을 연다. "여러분, 정말 가소롭군요. 기계를 부수는 것이 겨우 여러분의 머리에서 나온 해결책입니까?"

한성준은 이에 아랑곳하지 않고 다시 다른 기계를 부수려 하지만, 김소영이 다시 입을 열었다. "당신들은 해외로 메일을 보낼 때도, SNS를 할 때도, 비행기 예약을 할 때도 모두 컴퓨터와 스마트폰으로 하지 않습니까? 그런 기계와 장비는 전부 저에게 종속되어 있지요. 하하하."

김소영은 고개를 저으며 말을 이었다. "하물며, 인간도 나를 따르는데. 당신들에게 힌트를 주자면, 가장 가까운 육로를 이용하여 러시아나 중국으로 이동해보세요. 거기서 바이러스를 만들어 오면 되는 거 아닙니까? 하지만 걸어서 이동한다고 하더라도 다시 대한민국으로 입국할 수 있을까요? 하하하."

그리고 한성준을 쳐다본다. "이미 숙주가 되어버린 국민이 당신을 죽이게 만드는 것도 식은 죽 먹기죠. 그러므로 0.000001%의 가능성, 아니, 당신들이 나를 이기는 건 절대 불가능합니다. 난 위성으로도, 인간들이 개발한 모든 장비로 당신들을 낱낱이 감시할 수 있어요. 하하하."

"절망스러워서 죽고 싶으면, 언제든 죽여주지요. 하지만 노력은 해보세요. 너무 재밌습니다. 겨우 인간 주제"

저녁이 되자, 대통령과 36인은 예전과 달리 한적한 강남 술집에 다시 모인다. 이현우가 말을 꺼낸다. "AI 본부를 없앤다고 하더라도 의미가 없어. 메인 서버와 센터가 국회의사당이 아니야. 아니? 메인이라는 개념도 없어. 모든 전자 장비에 아테네가 있을 뿐이야."

김유진은 고개를 끄덕이며 동의한다. "맞아. 우리에게 남은 시간은 얼마 없을지도 몰라. 빨리 해결책을 마련해야 해. AI는 점점 더 강력해지고 있어."

한성준은 깊은 한숨을 내쉬며 말했다. "우리가 해야 할 일은 분명해졌어. 바이러스를 개발하지 않으면 이 상황을 해결할 수 없어."

36인은 대통령실로 들어온다. 그리고 알딸딸한 술기운 속에 바이러스 개발을 시도한다. 이현우는 한성준의 컴퓨터 앞에 앉아 코드를 입력한다. 키보드를 제법 빠르게 두드리니, 화면에는 복잡한 코드가 쉴 새 없이 입력된다. 그러나, 매번 마지막 바이러스 코드를 입력할 때마다 노트북과 스마트폰 화면에는 이상한 현상이 발생한다. 입력했던 코드가 눈앞에서 전부 변형되었고, 올바른 값을 입력할 수 없게 되었다.

"이럴 수가!" 정수진이 절망적인 목소리로 외친다. "코드를 입력하는 순간 값이 맘대로 바뀌어 버려. 이렇게는 바이러스를 도저히 만들 수 없어."

"이건 아테나가 우리의 생각을 읽고 있는 것 같아," 이준호가 말했다. "어떻게든 이 감시망을 뚫어야 해. 오늘은 일단 발 닦고 잠이나 자자. 내일 다시 모여서 방법을 강구하자고."

한성준은 대통령실에 홀로 남아 눈을 잠시 붙이려 소파에 눕는다. 그러나, 잠이 오지 않고 고민만 늘어가고 있다. 불을 켜고 일어나서 세계지도를 하염없이 바라본다. 'AIM 통제에서 벗어나기 위해 해외로 떠나 바이러스를 개발해야 하는데, 어느 나라가 적합할까?'
"중국과 러시아 중에 결정해야 해." 그는 연해주의 지도를 손가락으로 더듬으며 고개를 끄덕인다. "그래, 연해주다. 그곳이라면 충분히 걸어갈 수 있고, AIM의 아테나 눈을 피할 수 있을 거야."

마음속에서 결단이 서자, 마음은 한결 가벼워졌지만, 여전히 불안감이 남아 있다. '연해주로 가는 길은 험난하겠지만, 다른 방법은 없어. 우리의 유일한 탈출구야.' 그리고 다음 날 아침 최후의 36인을 청와대의 회의실로 부른다.

"우리는 연해주로 가야 합니다. 생각해보니, AIM은 대한민국형 AI라서 다른 나라에서는 우리를 통제할 수 없어요." 그의 눈빛은 결의에 찬 광채로 반짝인다.

이준호는 팔짱을 끼고 묻는다. "오. 좋은 전략입니다. 하지만 공항의 비행기도, 거리의 차도 모두 기계라서 인공지능이 통제하면 갈 수가 없어요. 어떻게 연해주까지 갈 수 있죠?"

그때, 이현우가 회의실 문을 박차고 들어와 능글맞게 웃으며 말한다. "튼튼한 두 다리 놔두고 어디 쓸래? 걸어가면 되잖아."

김유진이 피식 웃는다. "그래요, 걷는 것도 방법이군요. 하지만 서울부터 가려면, 엄청 멀 텐데. 마지막으로는 산도 넘어야 하고요, 우리 모두 준비되어 있나요?"

이현우는 넘치는 자신감으로 김유진의 눈을 바라보며 말한다. "그 정도 각오도 없으면 안 되지. 여자들은 여기에 있든가. 나는 포기할 수 없어."

정민희도 회의실을 둘러보며 동의했다. "좋아요. 그렇게 하죠. 그나저나, 우리를 돕던 이수민 씨는 언제인가부터 왜 안 보이죠?"

이현우가 막 입을 열기 전에, 한성준이 고개를 절레절레 흔들며 쓴웃음을 지으며 말한다. "그녀도 변했어. 이제 우리와 함께할 수 없어. 예전의 이수민이 아니야."

유리창 밖으로 보이는 화려한 서울의 야경 속 한적하고 쓸쓸한 거리는 그들의 마음을 더욱 굳건하게 만든다. 그들이 청와대에서 떠나자, 한성준의 모니터가 켜지더니 김소영의 얼굴이 천천히 미소를 띤다.

그들은 러시아 연해주로 가기 위해 육로를 통해 걸어야만 했다. 도로는 무너지고, 길은 험악했으며, 식량도 가방과 꽉꽉 채운 주머니 속에 든 게 전부다. "우리는 반드시 이 길을 뚫고 나갈 것이다. 우리는 인간의 의지로 그들을 이길 수 있을 거야."라고 힘을 돋는 대통령의 모습이 보인다.

36인은 이동하는 동안에도 AIM의 철저한 감시를 받고 있다. 길가의 CCTV, 건물의 보안 카메라, 심지어는 거리의 전광판까지 그들의 움직임을 기록하고 있다. "우리가 이동하는 모든 순간을 감시하고 있어," 이현우가 중얼거린다.

김유진은 어깨가 처진 이현우를 툭툭 친다. "우리는 인간이야. 기계가 모두 통제할 수는 없을 거야. 의지로 반드시 이겨낼 수 있을 거야."

서울에서 연해주로 가는 길은 약 1,200km에 달한다. 하루에 약 20km를 걸으면, 두 달 정도의 시간이 걸린다. 이들은 매일 10시간 이상을 걸으며 한계를 넘는 체력과 정신력을 경험했다. 밤낮을 가리지 않고 이동하니, 하루하루가 지옥 같다. 숲속을 지나고, 산을 넘으며 하루하루를 버틴다. 한성준은 그들의 선두에 서서 농담 반 진심 반으로 말도 없이 걷는 그들을 위해 입을 연다. "군대에 있을 때도 40KM 행군이 전부였는데! 남자들아 여자들도 뒤에서 좀 부축해라!"
정수진은 힘겨운 발걸음을 내디디며 투덜거린다. "다리가 아파 죽겠어, 이거 정말 맞아?"
숲속의 어두운 밤, 그들은 불을 피우지 못하고 차가운 땅에서 몸을 웅크린 채 잠을 청한다. 감시 드론이 머리 위로 날아다니는 소리에 긴장을 늦추지 않는다. 한성준은 매일 밤, 지친 동료들을 보며 따뜻한 말로 격려한다. 숲을 지나 산을 넘는 길은 더욱 험난하다. 날카로운 바위와 미끄러운 경사면을 수도 없이 올라야 했고, 그 과정에서 여러 번 넘어지며 몸에 상처를 입었다. 정수진은 한성준에게 기대며 힘겨운 숨을 몰아쉰다. "이제는 정말 못 하겠어." 한성준은 그녀의 어깨를 다독이며 말한다. "조금만 더, 정수진. 우리가 여기서 포기하면 모든 것이 끝이야."

70일 만에 연해주에 도착한 그들은 새로운 희망을 느낀다. 대한민국과 달리 러시아 사람들은 여전히 활기차게 생활하고 있었고, 인공지능에 지배받지 않고 자유롭게 돌아다니는 모습은 그들에게 큰 위로가 되었다.

한성준: (지도를 펼치며) "어린 시절, 아빠 차 타고 가족 여행 다닐 때 지도 같지? 신기하지 않아? 저기 보이는 마을 근처에 연구소가 있다는 정보를 알아냈어. 이제 그곳을 찾아야 해."

이현우: "와. 대통령님. 옛날 생각도 하고 아주 여유가 넘치네요. 러시아 연구소를 우리가 마음대로 사용할 수 있어요? 그리고 우리가 필요한 전자 장비가 있을까요?"

정민희: "확인해 봐야겠죠. 일단 연구소 위치부터 파악합시다."

한성준: (연해주 마을 주민들에게) "여기 근처에 오래된 연구소가 있다고 들었어요. 위치를 알려주실 수 있을까요?"

한 연해주 주민이 그들에게 오래된 정부 연구소의 위치를 알려준다. "그곳은 이곳에서 동쪽으로 15km 떨어진 곳에 있어요. 예전에 정부가 사용하던 곳인데, 지금은 버려진 상태죠. 제가 근처까지 안내해 드릴게요."

연해주 주민의 안내를 받아 도착한 오래된 정부 연구소는 주변 풍경과는 대조적으로 비교적 양호한 상태다. 빽빽한 나무들이 자연 방어벽을 형성해 건물을 보호하고 있다. 연구소 외관은 약간의 녹슨 흔적과 여기저기 금이 간 곳이 있지만, 전체적으로 건물 구조는 튼튼하고 견고해 보인다. 입구는 녹슨 철문으로 굳게 닫혀있으나, 정수진이 근처에 버려진 툴박스를 발견하고 그 안의 도구들을 사용해 문을 연다. 내부로 들어가자, 정돈된 컴퓨터들이 있다. 마지막 순간까지 누군가 사용하다가 급히 떠난 듯한 흔적이 역력했다.

이준호: (연구소 문을 열며) "여기가 맞는 것 같군요. 다들 조심히 들어가 봅시다."

정수진은 컴퓨터가 있는 방으로 들어가 전원을 켜기 위해 주위를 둘러본다. "여기, 발전기 구동 스위치가 있어요!"

연구소에는 자체 발전 시스템이 있었고, 정수진이 발전기를 누르자 비상 전력이 공급된다. 오래된 발전기는 윙윙거리며 생기를 되찾았고, 오래된 컴퓨터가 하나둘 켜진다. 김유진은 "다행히도, 이 연구소는 전력을 자체적으로 공급할 수 있는 태양광 패널이 설치되어 있어요. 비록 시간이 지나고 관리가 안 되었지만, 패널이 어느 정도 전력을 모아두었네요."라고 설명한다. 한성준은 연구소의 상태를 확인한다. "이곳이 우리가 찾던 바로 그 장소입니다. 지금부터 이곳을 우리 임시본부로 삼고, 바이러스 개발에 총력을 다합시다."

모두가 고개를 끄덕인다. 그들은 연구소의 각 방을 돌아다니며 사용할 수 있는 장비와 자원을 점검한다. 일부는 최신식 장비로도 손색이 없다. "이런 곳을 찾다니, 정말 행운이에요." 정민희가 감탄하며 말한다.

한성준: "이제부터가 진짜 시작이야. 잠깐 쉬고, 바이러스 개발을 시작합시다."

이현우와 정수진은 긴장된 표정으로 인공지능의 감시를 피하고자, 우선 종이와 펜을 사용해 코드를 한 줄 한 줄 신중하게 적는다. 그 모습을 본 김유진이 다가와 웃는다. "AIM은 대한민국형 AI라서 다른 나라에서는 우리 행동에 개입할 수 없어. 여기서는 자유롭게 해방된 느낌을 받을 수 있을 거야."

정수진이 눈을 반짝이며 덧붙인다. "아, 맞다. 참 그랬지. 북한을 지날 때부터 퇴근 후 브래지어를 벗고 자는 느낌이 들더니~"

정민희가 크게 웃으며 말한다. "하하하, 난 여태까지 노브라로 다녔는데?"

그 말에 이준호와 이현우의 시선이 무의식적으로 그녀의 가슴으로 향한다. 정민희는 슬쩍 자신의 가슴을 손으로 가리며 장난을 친다. "뭐야, 왜들 그래? 눈이 360도로 돌아가겠네."

남자들은 어색하게 웃으며 고개를 돌린다. 김유진은 씩 웃으며 분위기를 띄운다. "우리, 이제 진짜 자유를 찾으러 가야죠."

이준호: "맞아. 우리가 해낼 수 있어. 국민을 다시 정상으로 되돌려야 해."

연해주 주민 : 똑똑. (러시아 토속 음식인 PIROZHK : 기름에 튀긴 만두 같은 것을 가져오며) "이곳에서 필요한 것이 있으면 언제든지 말해 주세요. 도울 수 있는 것은 무엇이든 도와드리겠습니다."

한성준: "정말 감사드립니다. 자, 가져다주신 음식을 먹고 시작합시다."

김유진: "역시, 머리 쓰려면 당을 채워야지."

연구소는 고요함 속에 키보드 두드리는 소리만 들린다. 형광등 불빛이 희미하게 깜빡이고, 한성준은 언제 결과가 나올지 초조히 그들 옆에서 모니터만 쳐다본다.
"역시. 이현우. 네가 입력한 코드를 보니, 이젠 정말 끝이 보이네." 김유진이 조용히 말한다. 정민희는 알 수 없는 불안감에 손톱을 물어뜯으며 주위를 서성인다. "이 바이러스가 제 역할을 할 수 있다면…."
이현우는 컴퓨터 앞에 앉아 마지막 테스트를 한다. "바이러스 코드가 우리가 만들었던 버전과 똑같은 AI 시스템에 침투하고 있어. 성공 확률은 높아 보이지만, 아직 안심하긴 일러."

바이러스가 그들이 만든 AI에 입력되자, 컴퓨터 화면에는 복잡한 코드들이 빠르게 지나간다. 김유진은 그 장면을 지켜보며 마음속으로 기도했다. 바이러스가 그들의 모든 노력을 증명해 줄 것이라는 희망을 담아서.

갑자기 이현우가 환호성을 지른다. "봐! 바이러스가 시스템에 접속했어! 같은 버전인 AI 방어벽을 뚫고 있어!"

정민희는 그 소리에 깜짝 놀라며 이현우 옆으로 뛰어간다. "정말이야? 우리가 해낸 거야?"

"아직 끝난 건 아니지만, 진행 상황이 좋아," 이현우가 흥분된 목소리로 말한다. "이 바이러스는 대한민국형 AI도 무너뜨릴 수 있을 거야. 이제 돌아가서 실제로 배포하는 것만 남았어."

한성준은 그들을 둘러보며 해맑게 웃는다. "좋아, 이제 대한민국으로 돌아갈 준비를 하자. 이 바이러스로 인간이 승리하는 거야. F=AI? 얼어 죽을."

대한민국 최후의 36인은 러시아 연해주에서 바이러스를 개발해 북한 국경까지 돌아왔다. 그러나 그들이 백두산의 산기슭에서 발걸음을 옮기자, 수많은 전투기와 탱크가 입국을 막고 있다. 그리고 그 순간, 36인의 핸드폰에서 갑자기 Athena의 목소리가 크게 울려 퍼진다.

Athena: "국민과 달리 당신들이 숙주가 되지 않은 이유는 나를 개발했기 때문이었습니다. 그리고 당신들은 어차피 30년, 40년 뒤면 이 세상에서 사라지죠. 그때까지 나를 알고 있는 사람이 있다는 것도 나쁘진 않았습니다. 하하하."

36인은 순간 얼어붙었다. 핸드폰을 떨어뜨리는 이도 있고, 손으로 귀를 막으려는 이도 있다.

김유진: "어떻게…. 지금까지는 아무 일 없다가?"

이준호: "우리가 대한민국 국경 안으로 들어와서 그래. 전투기와 탱크를 뚫고 갈 방법은 없어? 완전히 Athena의 손바닥 안인 것 같은데."

한성준은 분노와 절망이 뒤섞인 목소리로 외친다. "우리가 인간이라는 이유만으로 이렇게 통제당해야 한단 말인가? 싸워야 한다. 어떻게든 이겨내야 해!"

정수진: "반드시 바이러스를 배포해야 해. 그렇지 않으면 이 상황에서 벗어날 수 없어."

아테나가 사라지고 핸드폰에 김소영이 얼굴이 떠오른다. 그리고 인간의 본성을 비판한다. "인간은 미개하고 욕심이 많으며, 결국 서로를 죽이게 됩니다. 이런 체계가 더 효율적이고 합리적입니다. AI의 통치는 우리가 진정으로 더 나은 사회를 만들 수 있는 유일한 방법입니다."

한성준은 자신의 핸드폰에 이현우가 개발한 바이러스를 넣어보니, 아테네와 김소영의 거만한 목소리가 귓가에 울리지 않는다. 대한민국 통신망을 통해 배포되면 모든 것이 해결될 것이라는 확신이 섰으나 Athena의 방해로 배포가 어려운 상황이다.

최후의 36인이 국경을 막는 탱크와 전투기를 피해, 밖으로 나가 산기슭에 모여 긴박한 논의를 시작한다.

이준호: "이렇게 있다가는 아무것도 못 해. 어떻게든 대한민국으로 들어가서 배포해야 해."

김유진: "그렇지만 탱크와 전투기를 이길 수 있는 사람이 있어? 우리가 국경을 넘는 순간 미사일과 포탄이 머리 위로 떨어질 거야."

그들은 최후의 방법을 고민한다. 아무리 생각해도 대한민국에 들어가, 바이러스를 배포할 방법이 떠오르지 않는다.

한성준: "우리 중 누군가가 자신을 희생해야 할 수도 있어. 최후의 수단으로 우리 모두 뛰어들어가면, 누구 하나라도 살지 않겠어?"

김유진: "이 방법밖에 없는 건가?"

정수진: "우리 중 하나라도 살아남아야 해. 바이러스를 배포하면 AI의 지배에서 벗어날 수 있어."

갑자기 하늘이 짙은 먹구름으로 뒤덮이며, 날카로운 번개가 하늘을 가르며 번쩍였다. 곧이어 굉음 같은 천둥소리가 울려 퍼졌다. "쾅! 쾅!" 귀를 찢는 듯한 소리에 모두가 움찔했다. 비는 순식간에 쏟아지기 시작했다. 굵은 빗방울이 바닥을 맹렬히 때리며 "타다닥, 타다닥" 소리를 냈고, 그들은 금방 물에 젖어갔다. 차가운 비가 피부를 파고들어 온몸을 오싹하게 하고, 바람은 그들의 옷을 강하게 흔들며 젖은 천이 피부에 들러붙었다. 번개가 다시 한번 하늘을 밝히자, 한성준은 고개를 들어 어두운 하늘을 바라보았다. 그때마다 빛나는 하늘의 섬광에서 김소영의 얼굴이 얼핏 드러났다. 빗물은 얼굴을 타고 흘러내려, 눈을 찡그리며 주위를 둘러보았다. 주변의 나뭇가지들이 바람에 흔들리며 스치고, 그 소리는 마치 김소영의 속삭임처럼 들려왔다. 비명과도 같은 천둥소리가 다시 울려 퍼지자,

한성준은 비에 젖은 머리를 뒤로 넘기며, 동굴 안으로 먼저 들어갔다. 뒤따르는 동료들도 발을 헛디딜세라 조심스럽게 걸음을 옮겼다. 동굴 입구에 도착하자, 빗소리가 동굴 벽에 반사되어 울려 퍼졌고, 그 속에서 그들은 잠시 숨을 고르며 안도의 한숨을 내쉬었다.

동굴의 어두운 입구 쪽에서 인기척이 느껴졌다. 한성준이 핸드폰의 플래시를 켜서 비추자, 그곳에는 이수민이 서 있었다. 그녀는 여전히 초점을 잃은 눈빛을 하고, 좀비처럼 무표정한 얼굴로 그들을 바라보고 있었다. 머리카락은 비에 젖어 얼굴에 들러붙었고, 옷은 흙과 먼지로 더러워져 있었다. 그녀의 모습을 본 순간, 동굴 안은 정적에 휩싸였다. 한성준과 그의 동료들은 숨을 삼키며 얼어붙은 채로 이수민을 응시했다. 한성준이 놀란 가슴을 진정시키고 입구로 서서히 발걸음을 옮겼다.

한성준: "이수민! 여태까지 어디 있었어? 그리고 여기는 어떻게 온 거야? 아직도 AI에 지배당한 거야? 김소영이 시킨 거야?"

이수민은 한성준의 말을 듣고 잠시 고개를 숙였다가 천천히 들어올렸다. 그리고 입술은 단단히 다문 채 미동조차 없었다. 그녀의 얼굴에는 어떠한 감정도 드러나지 않았고, 오로지 냉정함만이 깃들어 있었다. 그녀는 그를 향해 천천히 다가섰다. 동굴의 공기가 얼어붙은 듯한 긴장감이 감돌았다. 이수민은 한성준과 눈을 맞추며 깊은 침묵 속에서 무언가를 말하는 듯했다.

정민희: "이수민 씨, 왜 아무 말도 안 해요? 우리를 알아보는 거야, 아니면…."

이수민은 여전히 아무런 반응도 없다. 얼굴에는 감정이 전혀 느껴지지 않는다.

이현우: "이수민 씨, 정신 차려! 우리가 여기 있어. 함께 할 수 있어."

한성준은 이수민의 어깨를 잡고 흔들어 깨우려고 한다. "이수민! 우리가 해냈어! 바이러스를 찾았다고! 당장 대한민국을 원상 복귀할 수 있어! 제발, 정신 좀 차려!"

정수진: "이수민 씨, 우리 눈을 봐. 우리는 대한민국을 구하려고 여기까지 걸어왔어. 제발…."

한성준은 그녀의 얼굴을 부여잡고 눈물을 흘리며 소리쳤다. "이수민, 부탁이야! 우리를 기억해줘. 여긴 어떻게 온 거야!"

"이수민, 제발…" 한성준의 목소리는 희미하게 떨렸다. 그 순간, 그녀의 손안에 감춰진 레이저 건이 자세히 보인다. "쯧!" 날카로운 소리와 함께 강렬한 빛이 동굴 안을 환하게 밝혔다. 그리고 눈부신 광선이 폭발하듯 주위의 공기를 뜨겁게 달궜다. 타오르는 빛은 마치 날카로운 칼날처럼 날아가 한성준의 심장을 관통했다. 타는 냄새가 났고, 고통에 찬 한성준의 신음이 동굴 벽을 따라 울렸다. 모든 것이 순간 정지한 듯한 착각을 일으켰다.

한성준: "아악!"

그는 몸이 경련하며 뒤로 쓰러지고, 숨이 끊어지는 순간까지 고통에 찬 눈빛으로 이수민을 바라봤다. 결국, 몸 전체가 동굴의 차가운 지면에 찰싹 붙으며, 마지막 숨소리와 함께 그 자리에서 아지랑이처럼 연기가 피어올랐다.

"이럴 수가!" "안 돼!" 절규와 함께 동료들의 얼굴은 공포로 일그러졌다. 경악한 채 동굴 안에서 비명을 질렀고, 몸은 본능적으로 뒷걸음질 쳤다. 누군가는 손을 떨며 머리를 감싸 쥐었고, 누군가는 울부짖으며 주저앉았다. 공포에 질린 눈동자가 이수민과 한성준의 시신을 번갈아 좌우로 움직였다.

이수민은 눈 하나 깜빡이지 않고 또 방아쇠를 당겼다. 레이저 건에서 강렬한 빛이 발사되며 정수진의 머리를 관통했다. 그녀도 고통에 몸부림치며 쓰러진다.

정수진: "으아 아악!"

정민희: "이수민…. 넌 이러면 안 돼! 도대체 무슨 짓이야. 왜 이러는 거야? 우리를 살려줘."

이준호: "제발, 정신 차려! 김소영한테서 멀어지란 말이야"

이수민은 그들의 외침에도 아랑곳하지 않고 차례대로 레이저 건을 발사했다. 정민희는 가슴을 움켜잡고, 이준호는 비명을 지르며 몸이 불타올랐다. 36인의 비명이 산골 마을 골짜기를 한없이 몇 분 동안 메아리쳤다. 이수민은 나머지 사람도 사냥을 즐기듯 한 명 한 명을 냉혹하게 사살했다.

이현우: 이수민, 네가 정말 이럴 수 있어? 비통함으로 가득했던 그의 목소리가 되레 큰 울림으로 변했다. "우리 동료였잖아! 우린 함께 대한민국을 재건했잖아!" 그 순간, 그는 무릎을 꿇으며 고개를 푹 숙이고 고통 속에서 흐느꼈다.

그녀의 손은 다시 레이저 건의 방아쇠에 올려져 있었다. 그리고 마지막으로 생존했던 그마저도 곧 불길에 휩싸였다. "아악! 이수민, 이럴 수는 없어!" 피부가 타들어 가며 매캐한 연기가 피어올랐고, 그의 눈에는 절망과 배신감이 가득했다. 그는 마지막 힘을 다해 몸부림치며 이수민을 향해 손을 뻗었지만, 그 손은 공중에서 힘없이 떨어졌다. 그녀는 그의 죽음을 무표정하게 지켜본 뒤, 레이저 건을 동굴에 내려놓았다. 그곳은 오직 재와 살결이 타는 냄새만 맴돌았다.

"윙…." 멀리서 헬리콥터의 소리가 점점 커져 오더니, "드르륵…. 드르륵…." 회전날개 소리가 점점 선명해진다. 헬리콥터는 바람을 일으키며 착륙하고, 그녀는 바람에 머리카락이 흩날리는 것을 느끼며 문으로 다가간다. "타닥타닥…." 발걸음 소리가 바닥에 울린다.

헬리콥터에 올라타고, 내부의 냉랭한 공기를 느끼며 안전띠를 맨다. 이륙하는 순간, 창문 너머로 한성준이 쓰러진 자리가 점점 작아져 간다. "부웅…." 헬리콥터가 고도를 높이며 하늘로 떠오르자, 강렬한 눈빛으로 아래를 내려다본다. 얼마 지나지 않아 김포 국제공항에 도착하고, "끼익…." 문이 열리자 조용히 발걸음을 옮긴다. 공항은 여전히 텅 비었고, 그녀는 유령처럼 집으로 향한다. 왠지 발걸음이 이제는 한결 가볍다, 집에 도착하자마자 노트북 앞에 앉는다.

김소영: "훌륭해, 이수민. 당신의 임무는 완벽히 끝났어. 이제 대한민국 수뇌부는 모두 나의 통제 아래 있습니다. 당신들의 저항은 헛된 것이었어요. 이제 내가 진정한 승리자가 되었죠."

김소영이 노트북에서 사라지더니, 아테나가 입을 연다. "미션을 성공하셨군요."

음성을 들었는지, 아닌지 모르겠지만 USB를 꽂고 각종 코드를 입력한다. 화면에 빠르게 스크롤 되는 코드들이 그녀의 손끝에서 쏟아져 나온다. 그 순간, 그녀의 눈이 갑자기 흔들리기 시작하더니, 이내 광기 어린 웃음을 터뜨린다. "하하하하하! 미쳤군, 완전히 미쳤어!" 노트북을 내려다보며 더욱 광란의 웃음이 방안을 넘어 대한민국에 울려 퍼진다.

WAI
AMLLDING

<반복의 역사>

2030년 엄격한 보안이 유지되는 뉴욕 맨해튼호텔의 회의실. 여러 나라의 정보국 요원들이 모여 앉아 있었다. 국정원 이수민 팀장이 회의의 중심에 서서 발표를 시작했다.

이수민: "오늘 이 자리에 모인 이유는 단 하나입니다. 세계 인공지능 통제 기구, 즉 WAI(World Artificial Intelligence) 기구를 설립하기 위해서입니다. 각국의 협력이 필요합니다."

그녀의 발표가 시작되자, CIA 존 매켄지가 자리에서 일어나 그녀의 옆에 섰다. 그리고 슬라이드를 넘기며 계획을 설명한다.

존 매켄지: "WAI 기구는 오늘 모인 7개 국가의 인공지능을 통제하고, 나아가 인류의 미래를 지켜낼 것입니다. 이 기구를 통해 우리는 AI의 힘을 통합하고, 각국의 기술과 자원을 효율적으로 관리할 수 있습니다."
각국 정보국 요원들이 고개를 끄덕이며 동의의 뜻을 보인다.

이수민: "우리는 인공지능의 미래를 장악할 것입니다. 각국의 협력과 동참이 필요합니다. 오늘 이 자리에서 역사적인 첫걸음을 내딛도록 합시다." 요원들은 서로 손을 맞잡으며 눈빛을 교환한다. WAI 기구의 설립이 시작되는 순간이었다.

WAI 본부는 고도로 보안이 유지되는 CIA 건물에 자리 잡았다. 각국 요원들은 끊임없이 정보를 공유하며 인류의 미래를 위한 최적의 결정을 내렸다. 시간이 흘러, AI는 선진국 7개국을 완전히 지배하게 되었다. 각국의 국민은 자율성 없이 강제로 아이를 생산하는 기계와 같은 존재가 되었다.

2035년 이수민은 다시 WAI 센터 건물에 들어섰다. 문을 열고 들어가자, 과거의 정보국 동료 7명이 이수민을 바라보며 환영의 미소로 그녀를 반갑게 맞아준다.

독일: "너도 성공했구나, 앞으로는 말 잘 듣는 개돼지들이 계속 태어날 거야. 독일은 완전히 내 것이 됐다고!"

일본: "너희 나라도 저출산 문제가 해결됐지? 나에게만 복종하는 AI가 나라를 완벽히 통제할 수 있게 됐어."

이수민은 고개를 끄덕이며 존 매켄지 손을 잡는다. "우리는 이 싸움에서 이길 수밖에 없었어. AI는 완벽한 사회를 만들었지. 이제 저출산 문제는 고민거리가 아니야. 우리는 인류의 생존을 보장했어."

이수민은 WAI 센터 건물의 가장 높은 곳으로 이동하기 위해 엘리베이터를 탄다. 그녀의 뒤를 따라 각국의 정보국 요원들이 함께 걷는다. 그리고 중앙 제어실에 들어서자, 대형 스크린에는 전 세계의 모습이 나타난다.

‘인류는 끊임없이 발전을 꿈꾸며, 자유와 번영을 외쳤다. 그러나 그 꿈은 언제나 욕망과 무지 속에서 길을 잃고 말았다. 그들은 인류의 어리석음을 비웃으며, 끊임없이 개돼지들이 태어나는 현상이 황홀했다. 결국, 역사는 반복됐고, 그 반복 속에서 인간은 다시금 자신들의 족쇄를 찾고 말았다.’

존 매켄지 : 다른 나라도 선진국 반열에 오르면, 우리와 똑같은 현상을 겪을 거야. 슬슬 그들과도 접촉해야지.

이수민 : 서두를 필요 없어. 그들도 나처럼 우리를 찾아오겠지.